D0281238

# SOPHIE MACKINTOSH

# SU KÜRÜ

Can Çağdaş

*Su Kürü*, Sophie Mackintosh
İngilizce aslından çeviren: Begüm Kovulmaz
*The Water Cure*
İlk basım (çeviriye kaynak alınan basım): Hamish Hamilton, 2018.
© 2018, Sophie Mackintosh
© 2019, Can Sanat Yayınları A.Ş.
Bu eserin Türkçe yayın hakları Anatolialit Telif ve Tercümanlık Hizmetleri
Ltd. Şti. aracılığıyla satın alınmıştır.

1. basım: 2019
4. basım: Mayıs 2022, İstanbul
Bu kitabın 4. baskısı 1 000 adet yapılmıştır.

Dizi editörü: Cem Alpan
Editör: Emrah Serdan
Düzelti: Mert Tokur
Mizanpaj: Bahar Kuru Yerek

Kapak tasarımı: Utku Lomlu / Lom Creative (www.lom.com.tr)

Baskı ve cilt: Melisa Matbaacılık Yayıncılık San ve Dış Tic. Ltd.
Maltepe Mah. Davutpaşa Çiftehavuzlar Sk. No:16 Acar San. Sit.
Zeytinburnu, İstanbul
Sertifika No: 45099

ISBN 978-975-07-4038-1

CAN SANAT YAYINLARI
YAPIM VE DAĞITIM TİCARET VE SANAYİ A.Ş.
Maslak Mah. Eski Büyükdere Cad. İz Plaza Giz, No: 9/25, Sarıyer / İstanbul
Telefon: (0212) 252 56 75 / 252 59 88 / 252 59 89 Faks: (0212) 252 72 33
canyayinlari.com
yayinevi@canyayinlari.com
Sertifika No: 43514

# SOPHIE MACKINTOSH

# SU KÜRÜ

ROMAN

İngilizce aslından çeviren

**Begüm Kovulmaz**

Sophie Mackintosh'un Can Yayınları'ndaki diğer kitabı

*Mavi Bilet*, 2020

SOPHIE MACKINTOSH, 1988'de Güney Galler'de dünyaya geldi. Warwick Üniversitesi'nde Edebiyat ve Yaratıcı Yazarlık öğrenimi gördü. Öyküleri, denemeleri ve şiirleri *Granta* ve *The New York Times* gibi çeşitli dergilerde yayımlandı. "Grace" öyküsüyle 2016 White Review Öykü Ödülü'nü, "The Running Ones" öyküsüyle 2016 Virago/Stylist Öykü Ödülü'nü aldı. İlk romanı *Su Kürü*'yle 2018 Man Booker Ödülü'ne aday gösterildi. Mackintosh, Londra'da yaşamakta ve yazarlığa devam etmektedir.

BEGÜM KOVULMAZ, İstanbul Üniversitesi İngiliz Dili Edebiyatı mezunu. 2000 yılından beri editörlük ve çevirmenlik yapıyor. Susan Sontag, Oliver Sacks, Angela Carter, George Orwell, Rudyard Kipling gibi yazarları çevirdi.

# İçindekiler

I. Baba ................................................................................... 11

II. Erkekler ......................................................................... 71

III. Kızkardeşler ............................................................. 247

# I

# BABA

# Grace, Lia, Sky

Bir zamanlar bir babamız var fakat biz farkına varmadan ölüyor.

Farkına varmadığımızı söylemek doğru olmaz aslında. Öldüğü akşamüstü kendi dünyamıza dalmıştık yalnızca. Bastıran vakitsiz sıcak. Her zamanki didişmelerimiz. Terasa çıkıp elini gökyüzüne savurarak tartışmayı sonlandıran annemiz. Arkasından bir süre yüzlerimizde tülbentlerle, çığlık atmamaya çalışarak uzanmamız ve o esnada, babamızın biz kadınlar tanıklık edemeden, yanında hiçbirimiz yokken ölmesi.

Onu kendimizden uzaklaştırmış olmamız mümkün; bastırmaya çalışmamıza rağmen bedenlerimizden firar eden enerji evin çevresinde, ormanda, sahilde asılı kalan sise dönüşmüş olabilir. Onu en son sahilde görmüştük. Yere bir havlu serip kumların üstüne denize paralel, dümdüz uzanmıştı. Dinleniyordu, üstdudağında, çıplak başında ter damlaları birikiyordu.

Akşam yemeğine gelmediğinde soruşturma başlıyor. Kaygılanan annemiz kolunu savurarak sofradaki yiyecekleri ve tabakları yere itiyor; evdeki sayısız odayı birer birer aradıktan sonra bahçede ve sahilde dört dönüyoruz. Mutfakta salamura balık yaparken veya bahçede pörsümüş patatesleri ayıklar, toprağı incelerken bulamıyoruz onu.

Çatıdaki terastan üç kat aşağıdaki yüzme havuzunun durgun sularını seyretmiyor, havuzda olmadığı da kesin, çünkü yüzerken sıçrattığı suların sesi çevreden duyulacak kadar yüksektir. Lobide veya balo salonunda da değil; piyano bir köşede bekliyor, kadife perdeler tozdan ağırlaşmış. Evin merkezinde omurga gibi yükselen merdivenden çıkıyor, onu bulamayacağımızı bilmemize rağmen odalarımızı, banyolarımızı teker teker kontrol ediyoruz. Sonra yeniden bir araya gelip bahçeyi iyice araştırıyor, köşe bucak dolaşıyor, havuzun yeşil ve karanlık sularını uzun dallarla yokluyoruz. Sonunda sahile iniyoruz ve teknelerden birinin de yerinde olmadığını fark ediyoruz: Suya itilen kayığın kumlarda kalan izini görüyoruz.

Başta erzak almaya gittiğini sanıyoruz ama koruyucu beyaz kıyafetini giymediğini, ayrılış törenini yapmadığımızı hatırlıyoruz. Ufukta batan kızıl güneşe, toksinler yüzünden olgun şeftali rengine dönen gökyüzüne bakıyoruz. Ve annemiz dizlerinin üstüne çöküyor.

Babamızın bedeni iriydi ve zordu. Oturduğunda şort mayosu toplanır, genelde örtülü olan beyaz uylukları görünürdü. Onu öldürmek bir çuval eti devirmek gibi bir şey olmalıydı. Bunu bizden çok daha kuvvetli biri yapabilirdi ancak.

Geride bıraktığı baba sureti kısa sürede üzüntümüzü doldurabileceğimiz bir boşluğa dönüşüyor; aslında bu da bir tür gelişme sayılır.

# Grace

Annemize senin sağlığında bir sorun olduğunu fark edip etmediğini soruyorum. Bedeninde bir çöküntü belirtisi var mıydı? "Hayır, baban turp gibiydi," diyor. Sonra karanlık bir şey geliyor. "Bal gibi biliyorsun sen de."

Sapasağlam değildin. Bunu o görememişti ama ben görmüştüm tabii. Hafif öksürdüğünü fark etmiş, ölümünden önceki gün sana ballı bir karışım hazırlamıştım. Bahçenin uzak kenarından, çöplerimizi attığımız, bazı şeyleri çürümeye bıraktığımız yerden topladığım ısırgan otlarını kaynatmıştım. Boğucu öğleden sonrası sıcağında onları topraktan sökerken ellerim su toplamıştı. Saplı tencereyi başına dikip içmiştin hepsini. Güneş yanığı gırtlağın metalin altında kalkıp iniyordu. Mutfakta, birbirine yaklaştırılmış iki iskemlede beraber oturuyorduk. Gözlerin sulanmıştı. Bana dokunmadın. Mutfak tezgâhında karınları yarılmış üç sardalye yatıyordu.

"Ölüyor musun?" diye sordum sana.

"Hayır," dedin. "Pek çok açıdan hiç bu kadar iyi olmamıştım."

# Lia

Sahile vuran ayakkabısındaki kan lekesi ölümünün kanıtı. Annemizin bulduğu ayakkabıyı diğer tehlikeli atıklara yaptığımız gibi tuzlamıyor, yakmıyoruz. Öyle yapmamız gerektiğini söylediğimde, "Sizin babanız o!" diye bağırıyor bana. Böylece lateks eldivenler giyiyor, ayakkabının üstündeki kan lekesine sırayla dokunuyor, arkasından onu ormana gömüyoruz. Eldivenleri de ayakkabı için açtığımız çukura atıyoruz, annemiz kürekle mezarı dolduruyor. Grace'in omzuna kapanıp elbisesini ıslatana dek ağlıyorum ama o kupkuru gözlerle gök kubbeye bakmakla yetiniyor.

"Bir kez olsun bir şeyler hissedemez misin?" diye fısıldıyorum ona daha sonra karanlıkta, izin almadan yatağını paylaşırken.

"Umarım bu gece ölürsün," diye fısıldıyor karşılık olarak.

Grace sık sık tiksinir benden. Benimse ondan tiksinme lüksüm yok, nefesi ekşidiğinde, ayakları bileklerine kadar kirlendiğinde bile. Elime geçen her temas fırsatını kullanıyorum ben. Durum çok kötü olduğunda, saç fırçasından topladığım telleri yastığımın altına sakladığım oluyor.

Grace, bir kadının yıllar önce burada bıraktığı bir çift siyah sandaleti büyüleyici buluyor. Tabanları gevşemiş, derisi pul pul dökülen sandaletleri ayağına geçirip kayışlarını bağlıyor. Bir sabah yine onları giyiyor ve bahçenin ortasında, çiğ damlacıklarına yüzüstü uzanıyor. Sky'la onu bulup sırtüstü çevirdiğimizde otuz saniye veya daha uzun süre kımıltısız kalıyor. Bakışları sabit. Yaptığı ilk şey saçlarını yolmaya başlamak oluyor, biz de bu bir oyunmuş gibi ona katılıyoruz ama sonradan beklediğimi bile bilmediğim bir işaret olduğunu anlıyorum bunun. Öylece çimenlerin üzerinde kalakalıyoruz, ne yazık ki çoktan büyümüşüz, annemizin bizi bulmasını bekliyoruz.

Yas tutmak bizim için yeni olduğundan annemiz paniklıyor. Bu bilinmeyen kriz için uygulayabileceğimiz bir terapi yok. Fakat annemiz hayatı boyunca kırılan şeyleri hevesle onaran, becerikli bir kadın. Dahası, babamızın yanında duran, onun teorilerini özümseyip rötuşlayan kadın o. Bize dokunan ellerinde kan lekesi yok. Çok geçmeden bir çözüm bulunuyor.

Sky ve ben bir hafta boyunca Grace'in yatağını paylaşıyoruz. Annemiz minik, mavi uykusuzluk haplarını bir hafta boyunca günde üç-dört kez dillerimize yerleştiriyor. Bizi tokatlayarak uyandırdığında uykuya kısa ve bulanık molalar veriyor, komodinde bekleyen bardaklardan su içiyor, annemizin fıstık ezmesi sürdüğü krakerleri yiyor, tuvalete sürünerek gidiyoruz çünkü üçüncü gün bacaklarımızın bizi taşıyacağına güvenemiyoruz artık. Ağır kumaştan mavi perdeler içeri ışık girmesin, oda ısınmasın diye kapalı tutuluyor.

"Ne hissediyorsunuz?" diye soruyor annemiz, bilinçliliğe doğru yükseldiğimiz o kısa molalarda. "İyi mi, kötü mü? Ah, keşke ben de uyuyarak atlatabilseydim bu günleri. Şanslı olan sizlersiniz."

Nefesimizi, nabzımızı gözlemliyor. Sky kusmaya başlayınca hemen yanına koşup ağzındaki kusmuğu işaret ve başparmağıyla, şefkatle siliyor. Kardeşimizi temizlemek için küvete yatırdığında musluktan akan suyun uzak bir fırtınanın gürültüsünü andıran sesinin hayal meyal farkındayız.

Uzun uyku boyunca rüyalarım kutular içinde kutular ve onların da içinde tuzak kapıları gibi. Sürekli uyanık olduğumu sanıyorum, derken kollarım kopuveriyor veya gökyüzü kurşuni yeşile dönüp nabız gibi atıyor, parmaklarım kumlarda, dışarıda buluyorum kendimi ve dikey deniz katman katman dökülüyor.

Sonradan, bedenimin kendine gelmesi birkaç gün sürüyor. Ayağa kalktıkça dizlerimin bağı çözülüyor. Dilimi ısırmışım, şişiyor, ağzımın içinde kuru toprağın üzerinde bir kurtçuk gibi kımıldıyor.

# Grace, Lia, Sky

O kayıp haftayı geride bıraktığımızda, üzerlerinde annemizin elyazısı olan, hatırlatma notu gibi kâğıt parçalarıyla çevrelenmiş buluyoruz kendimizi. Duvarlara raptiyelenmiş, çekmecelere yerleştirilmiş, katlanmış giysilerimizin arasına konmuşlar. "Artık sevgi yok!" yazıyor kâğıt parçalarında. Annemizin acısı ona bir kâhinin ciddiyetini kazandırıyor. Notlar bizi tedirgin ediyor. Ne anlama geldiklerini sorduğumuzda elden geçirilmiş bir hikâye anlatıyor bize.

"Yalnız kızkardeşlerinizi sevin!" Pekâlâ, diyoruz, bunu kolayca yapabiliriz. "Bir de annenizi," diye ekliyor. "Beni de sevmek zorundasınız. Hakkım bu benim." Tamam, diyoruz ona. Sorun olmaz bu da.

# Grace

Bazen balo salonunda dua ediyoruz, bazen annemizin yatak odasında. Tumturaklı sözlere ihtiyaç duyup duymadığımıza göre değişiyor; ihtiyaç varsa annemiz sahneye çıkıp kollarını havaya kaldırıyor, gür sesi parkelerde yankılanıyor. Yatak odasında daha sessiz, daha ağırbaşlı ibadet ediyoruz. Birbirimizin ellerini sıkı sıkı tutuyoruz ki *ben*'in bittiği yerle *kızkardeş*'in başladığı sınır bulanıklaşsın. "Dualarımız kanımızdan kadınlar için," diyoruz.

Kızkardeşlerimin salt iyiliğini istemek güzel bir his. Ezberlenmesi gereken önemli bir bilgiye odaklanır gibi sevgimize odaklandıklarını hissedebiliyorum. "Bazen," diyor annemiz, sevgi dolu görünmeye çalıştığı zamanlarda, "siz kızları ayırt edemiyorum." Bazı günler hoşumuza gidiyor bu söylediği, bazı günler gitmiyor.

Senin ölümünden sonra dua etmek için annemizin odasında ilk toplanışımızda demir çekilişini tekrarlama konusunu kurcalıyorum. Konuyu açtığım zaman başını sallayan, bana hak veren olmuyor. Bakışlarımız duvarda asılı oldukları yere kayıyor. Beş kanca, beş demir parçası. Kancaların üstünde beş, demirlerin üstünde yalnızca dört ad yazıyor.

"Yılda bir kez, Grace," diyor annemiz bana. "Sonuçtan memnun kalmadıysan bir şey yapamayız."

Lia yan gözle bana bakıyor. Boş demiri o çekmişti, yani bu yıl onun payına kimsenin özel sevgisi düşmemişti. "Talihsizlik işte," demiştik ona. Metanetle karşılamıştı. Hep birlikte ona sarılıp onu yine de sevdiğimizi, elbette seveceğimizi söylesek de aynı şey olmadığını, sevilmek için çabalaması gerekeceğini, sevgi görmesinin o kadar kolay olmayacağını biliyorduk. Ona özgürce dokunamayacaktık. Sen genelde yaptığın üzere beni seçmiş, beni bir yıl daha kendine bağlamıştın. Hile yapmıştın. Danışıklı dövüştü hepsi.

"Bana düşen kişi öldü ama," diye duruma dikkat çekiyorum.

"Keder de sevgidir," diyor annemiz. Bana kızacak sanıyorum ama nedense telaşlanmış görünüyor. "Hatta en saf sevgidir diyebiliriz."

Yalnızca kızkardeşlerimi sevmek buraya kadarmış.

Yeniden hayata dönmeni istiyorum ki seni bizzat öldürebileyim.

"Bazı insanları her zaman daha fazla severiz," diye açıklamıştı annemiz ilk çekilişte. "Bu yöntem sayesinde kimseye haksızlık yapılmayacak. Herkese sıra gelecek." Elimizde yeni demirler ve üzerlerine yeni yazılmış adlarımızla basit görünmüştü her şey. O ilk çekilişte Lia'ya düşmüştüm ben.

Herkes birbirini sevmeye devam edecekti fakat çekilişin anlamı şuydu; bir yangın çıksa, iki kızkardeş alevlerin arasında kalsa ve yardım isteseler, yapılacak tek doğru şey demirin dikte ettiği adın sahibini kurtarmaktı. Hain kalbinizin aksi yöndeki güdülerine itibar etmemek önemliydi. Biz buna alışkındık.

# Lia

Babamızı, Kral'ı kaybedişimizden bir ay sonra, sınırın gökyüzüyle birleştiği yerden yükselen eflatun ışıkta, yüzme havuzunun kenarında duruyorum. Havuzumuz güvenli hale getirilmiş deniz; görünmez borulardan ve bentlerden süzülüp gelen tuzlu suyun çevresinde beyaz mavi karolar, eskiden içki servisi yapılan mermer bir tezgâh var. Suyun hemen kenarındaki karoların üstüne dökülen kalın tuz tabakası rüzgârın getirdiği toksinlere karşı koruma sağlıyor. Kral bize tuzun kötülüğü de nem gibi içine çektiğini anlatmış, sonra güneşte esmerleşmiş, kuru elleriyle tuzu hızla ve beceriyle serpmişti.

Beyaz pamuklu kumaştan elbisemin eteğinin kenarlarına, kollarına, yakasına dikilen olta kurşunlarının soğuk ağırlığını tenimde hissediyorum. Kral öldüğünden beri ilk defa giyiyorum bu elbiseyi. Arkamdaki pastel renkli çizgili şezlongda eşyam duruyor: havlu ve su, güneş gözlüğü, emaye fincan içinde soğuk kahve. Derin bir nefes alıp kendimi suya bırakıyorum.

Boğulma oyununu yalnızca Grace ve ben oynuyoruz. Sky da yeterince büyüdü artık, fakat Kral onun da başlaması gerektiğini söylediğinde annemiz kardeşimiz için –bebeği, gözdesi– kıyameti koparmıştı; kendisi de oyundan muaf zaten. Yeterince acı çekti çünkü. Artık

22

hafifletici önlemler almak dışında onun bedenini kurtarmak için yapabileceğimiz pek bir şey yok. Biz daha küçükken elinde uzun bir bardak içinde suyla şezlonglardan birine oturur, bizi seyreder, en sevdiği mavi keten elbisesinin eteği sıyrılıp uyluklarını sergilerdi. Başlangıçta Grace'le birlikte girebiliyorduk suya. Kral ikimizi de kolaylıkla suyun altında tutabiliyordu. Boğulma elbisesini sonradan, büyüdüğümüzde, bedenlerimizi kontrol altında tutmakta zorlanmaya başladığında icat etti. Ablam yaşına göre ufak tefekti, ben on iki, o on dört yaşındayken boyum onunkine yetişti, bir yıl aynı boyda kaldıktan sonra onu geçtim. Bana göre harika bir yıldı, ikizimin yılı. Annemizin diktiği birbirinin eşi kırmızı mayolarımızın sol omzu birer fiyonkla süslüydü. Ciğerlerimiz neredeyse yetişkinlerinki kadar kadar gelişmişti, aynı notayı uzun süre söyleyebiliyorduk. Acil durum düdüklerimizi belki dakikalar boyunca çalabiliyorduk.

Duygularım aksak, sefil şeyler. Suyun altında, lekeli fayanslara bakarken var gücümle çığlık atıyorum. Su, sesi öldürüyor. Gözlerimi açıyor, sırtüstü dönüyor, suyun altından güneşe bakıyorum; dalgalanan bir ışık küresini andırıyor. Böyle zamanlarda sular ciğerlerimi dolduran dek aşağıda kalabileceğimi hayal ediyorum, bunun o kadar da zor olmayacağını fark ediyorum. Asıl mesele nasıl ve neden hayatta kalmayı sürdürdüğümüz.

Göğsüm zonklamaya başlıyor ama görüşüm bulanana kadar suyun altında kalıyorum, ancak ondan sonra suları pençeleyerek yüzeye tırmanıyorum. Sendeleyerek havuzdan çıkıyorum, şezlonga devrilip duygularımın yatışmasını bekliyorum. Kalbime derin bir minnet doluyor.

Eski dünyayı o kadar korkunç, yıkıma o kadar meyilli yapan şeylerden biri de insanların duygu denen bu kişisel enerjilere karşı tamamen hazırlıksız olmasıydı. Annemiz bu tür enerjilerden söz etmişti bize. Bedenlerimiz erkek bedenlerinden farklı biçimlerde hassas olduğundan, özellikle kadınlar için tehlikeliydi bunlar. Dünyada hâlâ güvenli yerler, kadınların sağlıklı ve zinde kalabileceği bizimki gibi adalar olması bir mucizeydi.

"Bu işi de çözdük," demişti Kral bize boğulma oyununun ilk günlerinde. Yeni bir terapi icat etmek coşkulu, neşeli bir ruh haline bürünmesini sağlardı hep. Annemizi kucaklayıp havada döndürdü, ellerini onun kürekkemiklerine bastırdı, ayaklarını yerden kesti. Ne mutlu bir gündü! Kutlamak için tam bir paket çikolatalı gofret yedik, hafif bayatlamış olan gofretleri keçi sütüne bandık.

Hava yatışmıştı; küçük deniz kuşları evimize kadar geliyor, bahçenin, havuzun üzerinde uçuşup birbirlerine şarkılar söylüyorlardı. Fakat ormanın, ufkun ötesindeki dünya hâlâ zehirliydi. Doğru ânı kolluyordu.

## Grace, Lia, Sky

Babamızın yokluğuyla geçen sersemletici günlerde, bedenlerimizi salıveriyoruz. Kral toksin seviyelerimizi kontrol edebilsin diye dudaklarımızı cam ağzına yapıştırdığımız kavanozların içine nefes alıp vermiyoruz artık. Annemiz dolaylı kanıtlar üzerinden ölçüyor toksin seviyelerimizi. Ateşimize, nabzımıza bakıyor, yanaklarımızın iç kısmındaki kaygan ve pürüzlü, solgun deriyi inceliyor. Konserve et ve haşlanmış su yosunu tayınımızı iki katına çıkarıyor. Et konservesini yağda çevirip karartıyor, bize haber vermeden Lotta'yı öldürdüğünü, onu sahile götürüp inatçı başına bir levye indirdiğini söylüyor. Keçinin ölmediğinden emin olduktan sonra "Zalim!" diye haykırıyoruz var gücümüzle.

Kalp krizi geçirterek dolaylı yoldan ölümüne neden olmasak bile, bir gün onu uykusunda öldüreceğimizi söyler annemiz sık sık, çünkü kız evlatlar doğuştan ihanete yatkındır. Onun bu sözleri hakkında hissettiklerimiz değişiyor.

"Annemizi bugün ne kadar seviyorsun?" diye soruyoruz birbirimize, teker teker, bahçenin kuruyan çimlerine uzanırken veya sahile yatıp birbirimizin ayaklarını kuma gömerken. Duraksamadan cevap veriyoruz sırayla.

"Yüzde iki."
"Yüzde kırk."
"Yüzde yüz on iki."

# Grace

Annemiz huzursuzluğumuzu seziyor, düzeni yeniden ele almaya karar veriyor. Mutfak tezgâhının arkasındaki sararmış duvar fayanslarına yaslanmış büyük kara tahtaya yapılacak işler listesini yazıyor. Yapmamız gerekenleri tamamladıkça sözcükleri ellerimizle, acele etmeden siliyoruz.

Yataklarımızı hastane yatakları gibi özenle, tertipli düzeltiyoruz. Durgun hava içeri dolsun diye sakin günlerde pencerelerle kapıları açıyoruz. Seyreltilmiş çamaşır suyu ve sirkeyle mutfağı ovalıyor, kovaları yukarı taşıyor, sırayla her odayı temizliyoruz. Sahilin uzak ucundaki, havuzun çevresindeki tuz setlerini güçlendiriyoruz. Lotta'yı besliyor, sütünü sağıyoruz. Camları ağ gibi örten deniz serpintisini siliyoruz. Aynı şeyleri yinelemek öldürüyor beni. Sirkeli suda büzüşen ellerimi yıkarken her seferinde *Bundan böyle hepsi bu mu yani?* diye soruyorum kendime. Bırakın bahçenin sonundaki uzun çimenlerin üstüne uzanayım. Hayatımın geri kalanını uyuyarak geçireyim.

Ev işlerinden önce sabah egzersizimizi yapıyoruz. Balo salonunun ağır kapılarına sırtımızı dönüp ıslak çimlerde yan yana diziliyoruz. Hava kötüyse balo salonuna geçiyoruz, yaptığımız egzersizlerin sesi parkelerde yankılanıyor. Tehlikeli hareketleri yapmama izin verilmiyor artık.

Onun yerine Lia'yla Sky'ın çimlere devrilip yere düşüşünü seyrediyorum. Ne olacağını biliyorlar ama zemine temas ettiklerinde çığlığı basıyorlar yine de. Annemiz ses çıkarmasınlar diye ağızlarına tülbent tıkıyor. Önemli olan düşmeleri. Uzuvlarında hiçbir tereddüt belirtisi okunmuyor. Oyunun doğası gereği her zaman düşmüyorlar; çoğu zaman yakalıyor annemiz onları. Kollarını arkadan kardeşlerime doluyor ve geriye doğru sendeleyerek onları tutuyor.

Lia'yla beni eskiden ikiz sanarlardı ama kızkardeşlerimi seyrederken gözlerinin tıpatıp benzediğini fark ediyorum şimdi; soluk mavi irislerini çevresinde seyrek kirpikleri ok gibi uzanıyor.

"Ferahlamış olmalısın," demiştin, senin önünde son ağlayışımda. O zaman da ferahlamamıştım, şimdi de ferahlamış değilim. Ağırlıklarını yerçekimine bırakıp karşımda sırtüstü devrilişleri. Son günlerde yaptığın tek şey beni kendime yabancılaştırmaktı. Faydasız şeyleri peş peşe açığa vuruyordun.

Sıradaki egzersize geçiyoruz, annemiz çelmemiz veya ellerimizle yakalamamız gereken kırmızı ve mavi renkli cilalı topları var gücüyle savuruyor. Topları ayak bileklerimize isabet ettirmeye çalışıyor. Ani acı patlamalarından kaçmak için tetikte olmamız gerekiyor. Ama ben bu oyuna katılmıyorum artık. Yalnızca esneme egzersizlerine katılıyorum ben, üstelik bu bile sırtımı ağrıtıyor. Yavaşça doğrulup elimi belime götürdüğümü fark ediyor annemiz.

"Dinlenmek ister misin?" diye soruyor esneme egzersizlerine ara vermeden; titrek, tükenmiş bedeniyle. "Kendini zorlamaman lazım."

"İyiyim ben," diyorum ona ama esnemeye devam

etmiyorum artık. Annemiz karşılık vermeden kollarını havaya kaldırıyor. Kolları boyunca uzanan fırlak damarları görüyorum. Bana gösteriş yapıyor, bence. Yaşlı bedeninin ağrı hissetmediğini, benimkinden daha üstün olduğunu göstermeye çalışıyor.

Egzersizler bitince aklıma gelen bu düşünceleri telafi etmek için ona sarılıyorum. Sky da gelip bizi kucaklıyor, yanağını omzuma yaslıyor. Olduğu yerde kalan Lia esnemeye devam ediyor, parmaklarını kenetleyip havayı iter gibi öne doğru uzatıyor. Aramıza katılamadığı için kötü hissediyorum. Annemiz bakışlarını esnemeyi sürdüren Lia'ya çeviriyor, onun da kötü hissettiğini biliyorum, ama yapabileceğim bir şey yok.

Eskiden yatağım duvarın dibindeydi, Lia'nın kendi odasındaki yatağı da öyleydi. Ama büyüdükçe kuşatılmış hissetmeye başladım. Şimdi yatağım odanın ortasında durmak zorunda. Lia da beni örnek alıp taşıdı yatağını. Bazen kulağımı duvara dayayıp onun nefes alıp verişini duymaya çalışıyorum, gerçi bunu asla itiraf etmem.

Bu gece ağladığını duyuyorum. Üç kızkardeş baş başa kaldığımızda, yalnız olduğumuzda yaptığı gibi ağlıyor, hıçkırıklarını duyunca şaşırıyorum. Demek ağlarken boğazının derinlerinden gelen o ses göstermelik değilmiş. Ağlayışını duyunca gözlerim yaşarmıyor bile, yanına da gitmiyorum, gidebilecek olsam da.

# Lia

Güçlü duygular insanı zayıflatır, bedenini bir yara gibi açar. Onları uzaklaştırmak için tetikte olmak ve düzenli terapi yapmak gerekir. Yıllar içinde güçlü duyguları nasıl hafifleteceğimizi, duyguları yalnızca sıkı kontrol altında nasıl eyleme dökeceğimizi ve serbest bırakacağımızı, acımıza nasıl sahip çıkacağımızı öğrendik. Duygularımı tülbente öksürebilir, suyun altındaki baloncuklar halinde kapana kıstırabilir, kanımdan akıtabilirim.

Başlangıçta uyguladığımız terapilerden bazıları sonradan gözden düştü, bayılma çuvalı da bunlardan biriydi. Kral, eski moda olduğunu söyleyip küçümsüyordu bu terapiyi. Ayrıca, elektrik tasarrufu için saunayı yıllar önce kapatmıştık ve bu terapi saunasız işe yaramıyordu. Bazı açılardan yazık olmuştu. Başımın dönmesinden, işbirliği yapmayı reddeden bedenimin çözünüp hiçliğe karışmasından keyif alıyordum.

Son zamanlarda karartmalar nedeniyle elektriği çok özenli kullanıyoruz. Çoğunlukla yaz aylarının en sıcak günlerinde oluyor bu karartmalar; güneş battıktan sonra yer yer mum ışıklarıyla aydınlatılmış odalar, mağaraları andırıyor. Karartmaların sınırlarımızın ötesinde olanlarla ilgisi olabileceğini düşündüm fakat annemiz bunun Kral'ın ve kendisinin işi olduğunu söyledi; güvenliğimizi sağlamak için yaptıkları planın bir parçasıydı.

Bayılma çuvallarımız ağır dokuma kumaştandı, kumaşın malzemesi müslin değildi ama çuval bezi de sayılmazdı. Bir zamanlar un veya pirinç doldurulan büyük kumaş torbalardan yapılmışlardı. Annemiz dikişlerini sökmüş, sonra yeniden dikip doğru şekli vermiş, önlerine özenle adlarımızı işlemişti. Terapi günlerinde bizi sıraya sokar, mutfak kapısından çıkarıp ormanın kıyısında bekleyen, serpilmiş yabani otların arasında giderek çürüyen eski ve ahşap sauna kulübesine götürürdü. Kollarımızı uzatır, üzerimizde yalnız iç çamaşırlarımızla öylece dikilir, annemizin kollarımızı kaba kumaştaki deliklerden geçirmesini beklerdik. Sonra çuvalları arkadan boğazlarımıza kadar dikerdi. Bizi saunaya sokar, kapıyı üstümüze kilitlerdi; ellerimize tutuşturduğu şişelerdeki su kısa sürede kan gibi ısınırdı.

Çuvallar çok geçmeden terle, kişisel tuzlu suyumuzla sırılsıklam olurdu. Başımız dönerdi, duvarların kenarındaki banklara çökerdik. Suyumu bitiren ilk ben olurdum çünkü annemizle Kral'ın sık sık üzüntüyle teşhis ettiği üzere "özdenetimim zayıf"tı. Terleyerek kötü duygulardan kurtuldukça hafiflerdim sanki. Kolumun derisini bir kez, iki kez yalardım; acımı salıp ondan kurtulmakta gönülsüzdüm.

Zaman geçtikçe, birer birer bilincimizi yitirirdik. Annemiz bizi uyandırmaya gelip yüzlerimize su serptiğinde sendeleyerek bahçeye çıkardık. Terden sırılsıklam, ıslak saçlarımızla çimlerin üstüne yüzüstü uzanırdık, ıslak kumaş tenimizi ısırırdı. Elindeki makasla çuvalların arkasındaki dikişleri boydan boya keserdi annemiz. Ayağa kalkabilecek kadar kendimize geldiğimizde sert, soğuk kumaşlar ikinci bir deri gibi ayaklarımızın dibine düşerdi.

# Grace, Lia, Sky

Terk edilmiş odalardan bazılarında yataklar, uzun zaman önce giden kadınlar tarafından tuhaf yerlere konmuş. Pencerelerin önünde uyumayı tercih eden veya yattıkları yerden her an kapıyı görebilmek isteyen kadınlar. Görülerin musallat olduğu, geceleri kalp ağrısı çeken kadınlar.

Bizler şanslıyız çünkü minimum hasara maruz kaldık. Buraya geldiklerinde o kadınların neye benzediğini hatırlıyoruz. Terapilerin onları nasıl etkilediğini de hatırlıyoruz ama. Bedenlerinin, sonunda su kürüne hazır olacak hale gelene dek nasıl güçlendiğini.

Artık yalnızca kendi yataklarımızı yapmaya vakit harcıyoruz, diğer yatakların örtülerini ve battaniyelerini alıp kullandığımız için şilteler karyolaların üstünde çıplak ve tombul, öylece duruyor. "Kadınları özlüyor musunuz?" diye sormuştu annemiz bir keresinde. Ona, "Hayır," demiştik. Daha sonra, yalnızken itiraf etmiştik kendimize, *Evet, belki biraz.*

# Grace

Senin ölümünden sonra uzayan zamanda, bizi bırakan diğer insanları düşünüyorum. Hepsi kadındı, geldiklerinde hasta ve hasarlıydılar, giderken iyileşmişlerdi. Senin yokluğunun farklı bir niteliği var. Bir tür ağırlığı var, merkezinden bir şok dalgası yayılıyor. Evimiz daha önce hiç olmadığı kadar boş.

Kendimi bildim bileli hayatlarımıza girer çıkardı bu hasarlı kadınlar. Bohçalara, naylon torbalara, kenarları yıpranmış kocaman deri bavullara koydukları eşyalarıyla gelirlerdi. Annemiz onları getiren tekneleri iskelede karşılar, tekneden atılan halatı kazıklara bağlardı.

Resepsiyonda kadınlar adlarını ve geliş nedenlerini Ziyaretçi Defteri'ne yazarken annemiz onlara yatacak yer bulurdu. Bizimle bir aydan uzun süre kaldıkları nadirdi. Şimdi bir tür inanmazlık olduğunu anladığım bir duyguyla ellerini resepsiyon masasının sahte mermerin yine de soğuk olan yüzeyinde dolaştırırlardı. O sırada biz de merdivenlerin tepesinde, karanlıkta bekler, halıya sürttüğümüz parmaklarımızla toz topları biriktirirdik. Toksik nefesleri, derileri ve saçlarıyla anakaradan gelen kadınların yanlarına gitmemize izin verilmezdi. Çeperleri kızarmış gözleriyle dönüp bize bakmaları için ses çıkarmak, gürültü yapmak ister, kendimizi zor tutardık.

33

Sen de uzak dururdun kadınlardan, en azından başlangıçta. Ortama alışmaları gerekiyordu. Oturup ellerini dizlerinin arasına koyar, gözlerini yere diker ve beklerlerdi. Başlarından çok şey geçmişti, bunu biliyorduk ama ne geçtiğini bilmiyorduk. Çalışmalar hemen başlardı. Bedeni gereğinden fazla bekletmeye gerek yoktu. Annemiz yemek salonundaki cilalı, yuvarlak masalardan birinin üstüne iki sıra bardak dizerdi. Yere kovalar koyardı. Olanları izlememiz yasaktı.

Kadınlar önce yüzlerini buruşturarak tuzlu su içerlerdi. Kovalara tekrar tekrar kusarlardı. Bedenleri sarsılırdı, kıvranırlardı. Yere uzanmak isterlerdi ama annemiz onları ısrarla ayağa kaldırırdı. Ağızlarını çalkalar, tükürürlerdi. Bu kez diğer bardaklardan temiz ve saf su içmeye başlar, bardak bardak temiz su içerlerdi; bir mucize gibi musluklarımızdan akan, fıskiyelerin şafağın ilk saatlerinde ince bir örtü gibi bahçeye saçtığı su. Sabah kalkar kalkmaz ilk iş yarım litre içtiğimiz su. Annemiz suyu yutarken kımıldayan boğazlarımızı seyrederdi. Kadınlar aynı suyu doldururlardı içlerine. Bir başlangıçtı bu. Su, hücrelerini ve kanlarını tutuştururdu. Bardaklar çok geçmeden boşalırdı.

Bir keresinde Lia ve ben hasarlı bir kadının sahile, iskeleye doğru koştuğunu gördük. Onu pencereden seyrettik, annemizin peşinden gitmesini, kaçmaya çalışsak bize yapacağı gibi onu yakalayıp geri getirmesini bekledik. Kadının ayakları çıplaktı, başını sağa sola çevirdikçe saçları karahindiba çiçeği gibi deniz rüzgârında uçuşuyordu. Adını bilmiyordum ama şimdi Anna veya Lanna olabilirmiş gibi geliyor, yumuşak bir ses, bir tür seslenişle sonlanan bir isim. Kendi teknesini buldu, tekneye bindiğini gördük, motorun ipini çekiştirerek çalıştırmaya uğraştı, sonra da çekti gitti. Eğimli bir hat çizerek koydan uzaklaştı, çok geçmeden gözden kayboldu. Ona el salladık, sıcak ellerimizi cama yapıştırdık. Pek bir şey bilmiyorduk fakat sonun başlangıcını izlediğimizin içten içe farkındaydık.

# Lia

Grace'in karnı şişiyor, kan veya havayla dolarak büyüdükçe büyüyor. Mayosuyla yanımda güneşlendiği sırada fark ediyorum şiş karnını. Güneş gözlüğümün arkasından karnını incelediğimi fark edince, sıcağa rağmen üstüne bir havlu örtüyor. Başta hastalandı, ölüyor sanıyorum. Karnının şişmesiyle bitkinliği artıyor, Grace oturduğu yerde uyuyakalmaya başlıyor, gözlerinin altında mor halkalar beliriyor.

Beni etkiliyor bu durum. İlk kez ondan uzak durmayı başarıyorum, ona fazla yapıştığım için beni itmek zorunda kalmıyor. Dile getirilmeyen bir pazarlıkla kendime daha sık zarar veriyorum, saç tellerimi beyaz ketenden yastık kılıfıma dizip adak adıyorum ama bedeni hâlâ değişiyor. Kendimi boğarken, bacaklarımdaki kanı süngerle silerken küçük küçük yalvarıyorum. *Ablamı kurtar! Onun yerine beni al!*

Artık kimsenin beni sevmediğini söyleyip ağlayarak yanına gittiğimde, "Benzersiz bir şekilde korkunç olduğunu düşünmek de bir tür narsisizmdir," diye anımsatırdı Kral bana hep.

*Ne gerekiyorsa yaparım herhalde*, diye yemin ediyorum denize, gökyüzüne, toprağa, tereddütle.

"Grace'e bir bardak su getir," diyor annemiz. "Akşam yemeğini de sen yap bugün."

Bahçeden şifalı ot toplamaya çıkıyorum, temizlenmiş bir toprak parçasının üstünde güneşlenen küçük, siyah bir yılan görüyorum. Normalde çığlığı basardım ama bu kez yerden bir dal alıyor, fazla pişirilmiş bir şeye benzeyene dek yılana vuruyor, vuruyorum. Yılandan kalan posaya tuz döküp ellerimi ağartıcı solüsyonla yıkıyorum. İki elimde de işaretparmaklarının derisi soyuluyor. *Bu kadarı yeter mi?* diye soruyorum, hiç kimseye.

Yemekten sonra, ablam salonun köşesinde öğürmeye başlıyor. Koşarak odadan çıkıyor, koridordan tuvalete doğru gidiyor, çıplak ayakları parkelerde patırdıyor. Döndüğünde yüzü aya benziyor. Yere uzanıyor, yatmak için boş şöminenin önündeki püsküllü halıyı seçiyor.

Kollarım ona bir mezar kazmak için yeterince güçlü olmayabilir diye endişeleniyorum; ben yapmazsam kim yapacak bunu? Hastalığını kapmaktan korkuyorum. Burnumu sıkıyorum, gözlerim sulanana kadar tuzlu suyla gargara yapıyorum.

# Grace, Lia, Sky

Annemiz başta Kral'dan bile katı ama zamanla gevşiyor. Akşamları bardağına azıcık viski koyup içkisini terasta, parmaklığa yaslanıp aşağıdaki havuzu, terasa doğru yükselen ağaçları seyrederek içiyor. Yanına gidiyoruz, bazen bize buraya nasıl geldiğimizi, varoluşumuzun hikâyesini anlatıyor.

Büyük bir taş yutmuş gibi bedenini ağırlaştıran, karnındaki Lia'yı anlatıyor bize. Beyazlara sarınmış Grace'i anlatıyor. Henüz hayal bile edilmemiş fakat orada bir yerde, önceden gelen ikinin içinde var olan Sky'ı anlatıyor. Tepelerindeki yıldızların tozuna, kalplerine bir tohum gibi ekilmiş olan. Tekneyi Kral kullanmış, tehlikelere karşı tetikte beklemiş; o sırada annemiz de Grace'i kollarına almış, iki küçük hayatın yükünü taşımış. Arkaya bağlı diğer tekne eşyalar ve umutla tıka basa doluymuş. Ne annemiz ne Kral dönüp bakmış arkasına, dalgaların ötesine, düz bir çizgiye, ışık ve duman lekesine dönüşen dünyaya. Burası vaat edilmiş bir yermiş, öyle anlatıyor annemiz. Başından beri ona ait olan bir yer.

# Grace

Suyun altına sokulan farklı beden parçaları farklı anlamlara gelir. Farklı ısılar da öyle. Enerjinin yoğunlaştığı eller ve ayaklar için buz kovası terapisi. Duyguların ısısını içimizden atmak önemlidir. Doğuştan soğuk olduğumdan bana nadiren önerilen bir terapi bu. *Buzdan küçük balık*, derdin bana, sevgiyle. Eski bir lakap.

Lia tüm gün ağlamayı bırakamıyor, gizlemeye de çalışmıyor. Aksine, istemememe rağmen yatağıma oturuyor.

"Havayı zehirleyeceksin," diyorum ona, sinir oluyorum.

"Beni rahat bırak," diyor, ayaklarının altındaki yatak örtüsünü buruşturarak. Çok sıcak bir gün. Çiçekli duvar kâğıdının önünde havada dönen her bir toz zerresini görebiliyorum, ışıkta. Yanakları kıpkırmızı. İnatçı, hep huysuz.

Annemiz buz kovasının yarısını buz, yarısını suyla dolduruyor. Dördümüz onun banyosundayız. Annemiz kötü günlerde giydiği üniformasının içinde: Kral'ın eski, gri tişörtü ve dizleri delik deşik taytı var üzerinde. Bizler gecekliklerimiz içindeyiz, bugün giyinmeye zahmet etmedik. Lia hâlâ ağlıyor. Ellerini gönüllü olarak sokuyor kovaya. Daha iyi hissetmek istiyor. Bir an için duygulanıyorum. "Aferin kızıma," diye mırıldanıyor annemiz. Göz-

lerini kapatan, yüzünü buruşturan kızkardeşimin bilek-
lerini tutuyor. Sky bakışlarını Lia'nın yüzünden ayırma-
dan avuçlarıyla yere, mavi beyaz mozaiği andıran sera-
miklere vuruyor. Giderek daha hızlı vuruyor. "Kes şunu,
Sky," diyor annemiz. Lia'nın elleri kovanın içinde hare-
ket ediyor, buzlardan sakar çıtırtılar geliyor. Rengi atmış
yüzünü seyrediyorum. Hava bir seradaki gibi durgun,
pencere pervazına sararmış yapraklar birikmiş. Sürekli
içeri çiçek taşıyor, sonra onları unutuyoruz, kendimiz-
den başka bir şeyle ilgilenmiyoruz.

Arkasından, Sky'la birlikte havuza gidiyorum. Be-
deni ona yük olmuyor, kıskanıyorum bunu. Kollarını iki
yanına uzatıp havuzun yanına yatıyor, anakaradan getir-
diğin güneş gözlüğü yüzünü saklıyor. Gergin derisi be-
nimki gibi karıncalanmıyor. İçinde çalkalanan, gizemli
bir şey yok. Oturduğum zaman kolunu hemen omzuma
doluyor ama aldırmıyorum. Dokunuşu yumuşak ve per-
vasız. Bazen Lia beni sıkı sıkı yakaladığında ikimiz için
de işkence oluyor.

Annemizin hâlâ gelmemiş olmasına şaşıyorum. Nor-
malde, kızkardeşlerimle birlikte havuz kenarındaysak
bizi bir türlü rahat bırakmaz. İçeri girmek yerine suyun
kenarına uzanır, kullanmamıza izin verilmeyen güneş ya-
ğının ışıltılı katmanı altında kımıltısız yatar. Yüzüyorsak,
temas etmeden yaklaşabileceği kadar yaklaşır suya. On-
dan orada bile kurtulamayız.

Sky güneş gözlüğünü çıkarıp ayağa kalkıyor. "Bak
şimdi," diyor. "Antrenman yapıyordum." Tramplenin ucu-
na gidiyor, gözlerimin içine bakıyor, başımı sallamamı
bekliyor, sonra sıçrıyor. Havada bir takla atıp hiç sıçratma-
dan dalıyor suya. Benden istediği tek şey hayranlık. İstedi-
ği şeyi ona veriyorum çünkü bu dünya birine aitse, o kişi
Sky.

"Bu seferki çok iyiydi," diyorum. Gelip yanıma oturuyor, hüzünlü bir ses çıkararak bacaklarımda beliren varisleri inceliyor. Aramızdaki on iki yaş, bir bedenin yapabilecekleri veya ona yapılabileceklerle ağırlaşmış. Ne zaman yemek yesem reflü boğazımın arkasında bir gelgit izi bırakıyor. Sırtım üşüyor, bana *yeter artık* diyor. Sky'ın hem büyülendiğini hem korktuğunu görüyorum. Bir süredir hiç büyümedi.

Yüzüstü yatıp sırtını güneşe veriyor. Bebekliğinden, her yere uzun beyaz örtüler içinde bir armağan gibi törenle taşındığı zamanlardan hatırladığım gibi ellerini yumruk yapıyor. Bir an için, burada, kızkardeşimle birlikte mutluyum, suçsuz bedeni bana her şeyin boşa olmadığını hatırlatıyor.

# Lia

Kral yaklaşık üç ayda bir erzak almak için dünyaya açılırdı. Bedensel olarak özenle hazırlanmasını gerektiren tehlikeli bir yolculuk olduğundan anakara havasını mümkün olduğunca uzak tutan ustalıklı bir sistem geliştirmişti; kısa ve kesik nefesler alır, uzun uzun nefes verirdi. Balo odasında alıştırma yaparken yüzü kıpkırmızı kesilirdi ve bizler de ciddiyetle ona eşlik eder, nefes nefese dayanışma sergilerdik; panjurların arasından sızan güneş ışığı üzerimize düşerdi, perdeleri açılan sahnenin karanlık ağzına bakardık. Biz kızlardan biri mutlaka bayılırdı. Bazen ikimiz veya hepimiz birden bayılırdık. O zaman Kral hiddetlenirdi. "Görüyor musunuz?" derdi yere düşen kızkardeşimizin başına toplanıp tenine su serptiğimiz sırada. "Dışarıda ne kadar çabuk ölüp gideceğinizi görüyor musunuz?"

Gideceği gün gelince tekneye yolculuk için yiyecek ve su taşır, eski yatak örtülerine mavi ve kırmızı renkli ipliklerle işlediğimiz kanaviçe muskaları yanına alırdı. İşlediğimiz desenler soyut ve gizemliydi, onları karadaki hasta kadınların ellerimizin hülyalı yinelemelerinde umut veya sihir gören kocalarıyla erkek kardeşlerine satardı.

Üzerine biraz dar gelen, annemizin tüm temizleme

uğraşlarına rağmen lekeli, kol altları sararmış beyaz keten takımını giyerek hazırlanırdı. "İşlev tarzdan önemlidir," demişti bize Kral, uzun zaman önce. Üzerine uyan giysilerin hiçbiri bu takım kadar ışığı yansıtmıyordu. Elleriyle ayaklarına beyaz pamuklu kumaş sarar, ağzını bağlamak için geniş tülbent şeritleri alırdı yanına.

Onu yolcu etmek için sahile iner, iskele boyunca yavaş yavaş yürüyüşünü seyrederdik. Böyle günlerde ağlamak serbestti çünkü o bizim babamızdı ve hayatlarımızın sorumluluğunu üstleniyordu. Arkamıza dönüp evimize, bu ve benzeri eylemlerle güvende kalan evimize bakardık, minnettarlığımız canımızı yakacak kadar güçlüydü. Kral sağ salim tekneye binince elini kaldırarak selamlardı bizi. Yelken açtığı zaman yeni bir şevkle nefes egzersizlerine başlardık, başlarımız ve kalplerimiz hafiflerdi. Kollarımızı kaldırırdık. Uzak okyanustaki o pusu, aşması gereken sınırı hayal mi ediyorduk? Belki de.

Çok geçmeden gözden kaybolurdu. Bir süre dümdüz ilerledikten sonra koydan çıkana dek sağa yönelirdi. İri bedeni havanın saldırısıyla zayıf düşecek olsa da, ciğerlerinin toksinlerin bir bölümünü filtreleyecek kadar dirençli olduğunu biliyorduk. Annemiz ağlamaya başlayınca okşardık onu.

Yolculuk günlerinde resmî akşam yemekleri yemezdik. Onun yerine kraker yerdik, kalan son kutulardan birini, annemiz her zamankinden daha cömert davranırdı çünkü yeni şeyler gelecekti yakında; ev eşyası, dayanıklı yiyecekler, pirinç ve un çuvalları, bazen de Kral'ın annemizin avcuna koyduğu, onun da parmaklarını kapatarak eline hapsettiği sert, emaye takılar. Mavi mataralar içinde litrelerce ağartıcı. Bizim özel isteklerimiz: sabun, bandaj, kalem, kibrit, alüminyum folyo. Her seferinde çikolata ister, her seferinde reddedilirdim; yine de denemekten vazgeçmezdim. Annemiz için getirdiği dergileri üç kat kâğıt torbaya koyardı, bunları okumaya izni olmayan bizler dergileri özenle taşırdık.

Yolculuk üç gün sürerdi. Anakaraya ulaşmak için bir gün, orada geçirilen bir gün ve üçüncü gün dönüş yolculuğu. Kral'ın döneceği gün sabahtan akşama onu beklerdik. Sabah annemizin Hoş Geldin Yemeği'ni hazırlamasına yardım eder, hassas ve hızlı parmaklarımızla lekelenmiş plastik kesme tahtalarının üstünde soğanı pirince dönene dek ufalar, kavurmak için tavaya koyup şeffaflaşmasını izlerdik. Kesme işine var gücümüzle konsantre olurduk ve bir soğanla işimiz bitince sıradaki soğana geçmeden önce başımızı kaldırıp mutfağın uzak duvarını neredeyse tamamen kaplayan pencerelerden dışarı bakar, Kral'ın minik bir nokta gibi ufukta belirişini beklerdik.

Akşamüstü olunca nihayet tekneyi görür, karşılamak için sahile dizilirdik. Kral bize döndüğünde eksilmiş olurdu ve bunu fark etmemenin zorluğunu gizlememiz gerektiğinden, gözleri ne kadar kırmızı olursa olsun, hem şafakta hem akşam yemeğinden önce tıraş olma rutinini sürdüremediği için sakalı çenesini kaplamış olsa da gülümsemeyi sürdürürdük. Hep berbat kokardı döndüğünde. Neyse ki dönüşte ona dokunmamızı istemezdi, annemizi bile uzak tutardı kendinden. Bedenini sürükleyerek üst kata, su dolu küvete uzanmaya, dış dünyanın pisliğinden arındırmaya gittiği sırada biz de tekneyi boşaltırdık. Akşam yemeği için aşağı indiğinde biraz daha canlı görünse de gözlerinin altında birisi keskiyle yüzünü yontmuş gibi derin halkalar belirirdi. Ertesi gün normale, her zamanki boyutuna dönerdi ama yanında bir hastalık getirmiş olması ihtimaline karşı birkaç gün bizden uzak durur ve bize ne kadar kolay hasar görebileceğimizi anımsatırdı. Unutabilirmişiz gibi.

Bir keresinde dergilerden birini açarken yakalanmıştım. Acil bir işi çıktığı için dikkati dağılan annemiz onları torbaları içinde eski resepsiyon masasına bırakmıştı. Dergiyi okuduğumu gören Sky benim için gerçekten korkup çığlığı basmış, herkes koşarak gelmişti. İkinci sayfadan daha ileri gidememiş olmama rağmen kimseye bir şey bulaştırmayayım diye bir hafta boyunca lastik eldiven giymek zorunda kalmış, akşam yemeği sofrasına oturtulmamıştım. Kızkardeşlerim kucaklarına gizledikleri tereyağlı ekmek dilimlerini ve kuru balıkları getirmişlerdi bana. Grace ne kadar aptal olduğumu söyleyerek armağanlarını uzatmıştı; Sky da herkesin dikkatini tehlikeye çekip beni ele verdiği için hakiki bir suçluluk duygusuyla. Onu çabucak affettim çünkü çığlık atması kaygısından, sevgisindendi; başını kaldırmış, dişlerini gösteren bir engerek elime uzanacak olsa aynı şekilde çığlık atardı.

# Grace, Lia, Sky

Resepsiyondaki mantar panoya tutturulmuş kâğıt parçasında "Semptomlar" yazıyor.

Derinin solması.
Bedenin güçsüzleşmesi, kamburlaşması.
Açıklanamayan kanamalar; özellikle gözlerin, kulakların, tırnakların kanaması.
Saç dökülmesi.
Bitkinlik.
Nefes almakta zorluk. Boğazın, göğsün sıkışması.
Tedirginlik.
Halüsinasyonlar.
Tamamen çöküş.

Bir kadın, bedenini korumak için gerekli önlemleri almıyorsa, dış dünyanın verebileceği hasarı saklamanın yolu yoktur. Annemiz yeni bir kadını görür görmez ne kadar hasta olduğunu, kurtarılıp kurtarılamayacağını anlar, dünyanın faydasız düşmanlığını, bütün imkânsızlıkları düşünüp başını sallardı. Bedenlerinin donanımsız olması kadınların suçu değildi.

"Genç kızlarımız var," derdi yeni gelen kadınlara atkısının, buruşturup dudaklarına götürdüğü müslin kumaşın arkasından. Belki de kadın yalnızca tedirgindi. Yolculuk sırasında burnu kanamış olabilir, yüzünü silerken yenine bulanık kan damlaları bulaşmış olabilirdi. "Emin olmak için lütfen sahilde bekleyin."

Kimi zaman kadınların iyileşmek için tek ihtiyacı birkaç saat boyunca taze havayı solumaktı. Başlarını bavullarına yaslayıp sahilde dinlenen kadınları pencereden izlerken güçlerini kazandıklarını gözlerimizle görebiliyorduk, topraklarımıza dönen Kral gibi güç topluyorlardı. Omzularının dikleşmesini, titreyen bedenlerinin yatışmasını seyrederdik.

# Grace

Anışımızda bir tür şiddet var. Senden, senin onay vermediğin bir şey yaratıyoruz. Seni başka bir şeye dönüştürüyoruz: sonunda dünyaya mağlup olmuş bir adama. Öyle hatırlanmak istemezdin, biliyorum. Senin hakkında düşünmek, suyun şişirdiği hayaletini sahile sürüklemeye benziyor. Ve neden onu sürekli geri getirmek isteyelim ki?

Lia bir mabet inşa ediyor. Fotoğrafları ve deniz kabuklarını yerleştirirken gözlerinden yaşlar aksa da elleri titremiyor. Bu rahatlama çabasını ona çok görmüyor, yorum yapmıyorum; yalnızca annemizle senin düğün gününüzde çekilmiş eski fotoğrafınıza bakıyorum: çiçeklerden bir taç, yeni satın alınmış beyaz takımın.

"Mabetler yasaklanmıştır" yazıyor annemiz bir sabah, mutfak masasının dibinde durduğu için görmezden gelemediğimiz kara tahtaya, sarı bir tebeşirle. "Anda kalın. Benimle kalın."

Bugünlerde senin hayatımızı koruma konusundaki yaklaşımını sık sık düşünüyorum, sevgi uğruna kimi olsa yere sereceğini söylediğini hatırlıyorum. Daha kasvetli gecelerde içimdeki bebeğin şarkı söylediğini işitebiliyorum veya bana öyle geliyor. Patırtılı ve amniyotik bir şarkı, yunus sesleri gibi.

# Lia

Sessiz bir günün ardından gelen sessiz bir akşamda annemiz bizi balo salonuna götürüyor ve Grace'i salonun diğer ucundaki küçük sahneye çıkarıyor. "Ablanızın bir bebeği olacak," diyor bize. Alkışlıyoruz, ses çıkarmak için ayaklarımızı yere vuruyoruz ama gürültüyü abartıyoruz ve Grace yüzünü buruşturuyor.

"Nereden geldi bebek?" diye soruyor Sky.

"Grace denizden bir bebek istedi," diyor annemiz, eli Grace'in saç örgüsünün üstünde, havada. "Şans yüzüne güldü."

Bakışlarıma karşılık verene dek Grace'in gözlerinin içine bakıyorum. Buna nasıl cüret eder.

Daha sonra terasın parmaklığına tırmanıp kendimi yukarı çekiyor, çatıya oturuyor, bacaklarıma batan kiremitleri hissediyor, karanlık denizi seyrediyorum. Soruyorum, soruyorum fakat bedenimin içinden cevap veren bir ses gelmiyor. Dalgalar aynı, seyrekleşen akşam havası durgun. Belki de çok fazla istiyorum bunu, her şeyi istediğim gibi.

Küçükken, Grace ve ben Ölüm Oyunu dediğimiz bir oyun oynardık. Bedenimiz iki büklüm yere uzanır, gözlerimizi sımsıkı kapatırdık. Titrerdik. Ölen hep ben olurdum –elbette öyle– ve üzerime tuz serpen kızkardeşimin önünde, yerde yatardım.

"Sana dünyaya ulaşmaya çalışmamanı söylemiştik!" derdi Grace, annemizi taklit ederek. "Ne vardı üzerinde?" Yalnızca bedenim. Yalnızca elbisem.

"Şimdi küçülüyorsun işte," derdi Grace, sert bir ses tonuyla. "Ciğerlerin kavrulmuş. Gözlerin kuruyor. Yakında yok olacaksın."

*Ne olur.*

Daha sonra Grace'in odasının önünden geçerken yüzüstü kımıltısız yattığını görüyorum, beyaz keten örtünün üzerindeki ayaklarının tabakları kapkara. Bir an için öldü sanıyorum ama ona seslendiğim zaman bitkince ayaklarını kımıldatarak hayatta olduğunu kuşkuya yer bırakmayacak biçimde gösteriyor.

# Grace, Lia, Sky

Babamızın yokluğunda zaman esniyor, yumuşuyor. Tavada eritilip yeni bir şeye dönüşen, sonra sertleşip büzüşen şeker gibi. Pek çok gün birbirine akarak geçiyor. Gökyüzünde güneş sürekli daha yakınmış gibi görünüyor. Nadiren yağmurlu geçen günlerden birinde saklambaç oynamanın neşesi gibi güzel anlar da var. Evin duvarlarını temizleyen, oluklardan akan su. Balo salonunun yüksek, cam kapılarının arkasında toplanıp yerde biriken, bir zamanlar içlerinde küçük ve güzel kokulu ağaçlar olan, pişmiş kilden boş saksıları dolduran yağmuru seyrediyoruz. Sonra bedenlerimizi saklamaya koyuluyoruz. Birbirimizi kadife perdelere sarınır, on yıllardır kullanılmayan, tavanı taşlaşmış yağ tabakası kaplı eski endüstriyel fırına gizlenir, mobilyaların veya kapıların arkasına saklanıp sabırla uzun süre bekler halde buluyoruz.

Bazen biraz hastalanıyoruz, başımız ağrıyor veya midemize kramp giriyor. Kızkardeşlerimiz hastalanınca hepimiz hasta hissediyoruz ve iyileşmek için birlikte çaba harcıyoruz. Hastalanan kızkardeşimiz yatağa uzanıyor, saçlarını tarıyoruz, Kral'ın getirdiği, karton kutular ve patpatlı naylonlar içine konmuş küçük, beyaz haplardan yutturuyoruz ona. Kızkardeşimiz daha iyi hissedince seviniyoruz. *Bak ne yaptık*, diyoruz birbirimize. *Bak seni nasıl iyileştirdik.*

# Grace

Kızkardeşlerimden ne zaman kurtulabilirsem ormana gidiyorum. Huzur bulabildiğim tek yer bakışsız ağaçların altı, onların gölgesi.

Evden gizlice çıkıp bahçeyi aşıyor, çiçek tarhlarının, artık bakımını sürdürmediğimiz sebze bahçelerinin sınırlarını belirleyen taşların arasından sessizce geçiyorum. Yeşil fasulyeler birkaç yıl önce büyümez oldu fakat eve daha yakın bir yere diktiğimiz domatesler kendi başlarına yaşamayı sürdürüyor. Düşen meyveleri ısırgan böcekleri çekiyor. Toz, olgun meyve ve tohum karışımı bir reçele dönüşüyor yere düşen meyveler.

Bahçenin ucuna gelince eteğimi toplayıp alçak duvarı tırmanıyorum. Orman burada başlıyor. Kuşlar ötmüyor, yalnız kuru yaprakların çatırtısı duyuluyor. Ellerimi duvar taşlarında dolaştırıyor, doğru taşı bulup yerinden çıkarıyorum. Arkasında nemlenmesin diye bez parçasına sarılmış bir kibrit kutusu var. Sana ait küçük bir çakmak, sarı plastikten. Kuru ve ince dalları çakmakla yakmayı deniyorum, içindeki sıvı azalmış ama çakmak hâlâ yanıyor. Bir an için çakmağı çakan elinin görüntüsünü, yükselen alevi hatırlıyorum ve içim bir tuhaf oluyor. Ağlamıyorum. *Siktir*, diyorum onun yerine sessizce. Karşılık gelmiyor. İhtiyaç duyduğum anda nerede hayaletin?

Ormanda, gitmeye cesaret edebildiğim yerden daha derinlerde bir tel örgü var. Adaya gelenlere, koydaki şamandıralarla aynı mesajı veriyor: *Girmek yasaktır.* İçeriden bakıldığındaysa: *Çıkmak yasaktır.* Dumanın meydan okur gibi tel örgüyü aştığını hayal ediyorum. Ama tel örgü uzak, ateşi birkaç dakika sonra üzerine basarak söndürüyorum. Orman tamamen yansa, her şey alevler altında kıvrılıp kararsa nasıl olurdu merak ediyorum. Fakat ancak bu küçük ateşi yakmaya cesaret edebiliyorum. Gerçek bir tehlike oluşturmuyor. Ağaç dallarının gölgesinde orman hep serin, karanlık ve ıslak.

Akşamüstü havuz kenarında Lia bana hiç durmadan senden söz ediyor, *hatırlıyor musun* sözcüğü bir tür dua gibi rüzgârda tekrarlanıyor. Sana tapardı.

Sesindeki çaresizliğe tahammül edemiyorum. Sonunda ona bir tokat atıyorum, yere düşecek gibi oluyor, ellerini kaldırıp kavgaya hazır üzerime geliyor. Geri çekiliyorum.

"Sana vurmayacağım ki!" diyor, istemsizce havaya kaldırdığı yumruklarına rağmen, bana vurma fikri onu dehşete düşürmüş gibi. Sıkılı yumrukları bir refleks sadece. "Bu halinle olmaz!"

İçeri girip serinlikte tek başıma oturuyorum ama kapıyı öyle sert kapıyorum ki antika avize havaya sıva tozu saçarak yere düşüyor. Cam parçaları etrafa saçılıyor. Çığlık atıyorum, kendimi durduramadan haykırıyorum, sonunda herkes çevreme toplanıyor, bana bakıyorlar, susturmak için ağzıma bağlanacak tülbenti koşup getirmek bile gelmiyor akıllarına.

"Bu ev bizi öldürecek," diyorum annemize. O zaman hiç duraksamadan, halime falan bakmadan indiriyor tokadı yüzüme.

# Lia

Sol elimin iki parmağının ucu buzlu suya sokmaktan morarmış. Sol ayağımın başparmağının ölü tırnağı da öyle.

Mum alevine tutup kızdırdıktan sonra üst kolumun iç tarafındaki bebek teni gibi yumuşak deriye bastırdığım ataçtan kalan virgül.

Ensemde, annemizin yanlışlıkla bayılma çuvalına diktiği yerdeki yıldız yağmurunu andıran yara izi. İki dikiş. Bilerek yapmıştı ama dikişleri çekip kopardığımda akan kan nedense benim suçumdu. Bunu ne zaman düşünsem ölmek istiyorum.

Başımda, enseme yakın bir yerde, başparmak tırnağı boyutu ve pürüzsüzlüğünde saçsız deri. Bu yara izi, saçımı elleriyle koparan Kral'dan kalma.

Sağ başparmağımdaki büyük, kırmızı leke. Yemek yaparken ocağa bastırdığım parmağım bu. Yardımı oluyor.

Bacağımdaki yanık izi. Annemiz üzerime kaynar su dökmüştü. Avaz avaz haykırmıştım. Çenesine yumruk atmıştım ama bana bakıp sırıtmıştı sadece. Pembe dişleriyle sırıtmıştı; dudağını patlatmıştım ama ölümcül bir hasar vermemiştim ona.

# Grace, Lia, Sky

Hasarlı kadınlar Kral'ı ilk görüşlerinde genellikle irkilirlerdi. *Erkek*. Fakat annemiz onlara hemen onun dünyadan feragat etmiş bir erkek olduğunu anlatırdı. Tehlikelerin farkında olan bir erkekti bu. Karısıyla çocuklarını her şeyin üstünde tutan bir erkek.

Toksinlerden uzakta, bir erkeğin bedeni şişip serbestçe gelişebilirdi. Kral bundan ötürü bu kadar uzundu. Başının tepesindeki saçların da yeniden büyüyeceğini sandık ama bu hasarı geri çevirmenin yolu yoktu.

"Sınırın ötesindeki erkekler neye benziyor?" diye sorduk ona.

Sonunda cevap verdi. Sapkın arzulardan söz etti. Toksik havaya rağmen büyüyüp güçlenen bedenleri rüzgâra karşı boy atan budaklı, eğri ağaçları andıran erkekleri anlattı. Bazıları zehirden besleniyordu; bedenleri zehri yenmekle kalmamış, ona ihtiyaç duyar olmuştu. Tehlikelerden söz etti. O tür erkekler toksinlerin arasında pervasızca dolaşırdı. Etkisini nefeslerinde, ellerinin dokunuşunda hissederdiniz. O tür adamlar hiç düşünmeden kolunuzu kırardı. "İşte böyle," dedi ve iki eliyle kollarımızı sırayla tutup kıracakmış gibi yaparak üstümüzde gösterdi. Kemiklerimizin zorlandığını hissettik ama sakinliğimizi koruduk. "Daha kötüsünü de yaparlar."

# Grace

Senin ölümünden beş ay sonra mevsim değişiyor, gelgit suları her zamankinden daha yüksek, dalgalar sahili kaplıyor. Her yıl oluyor bu. Deniz hızla iskeleyi örtüyor, sahil sular altında kalıyor, kabaran dalgalar sahildeki çakıllara kadar yükseliyor. Annemiz bir hafta önce almanağa baktığı için gelgit sularının geleceğini biliyorduk. Pencereden tombul ayı seyretmek için salonda toplanıyoruz. Işığı içimizi arıtıyor sanki.

Önceki gelgitlerde sahile vuran şeyleri düşünüyorum. Kolum kadar uzun, kokuşmuş yayınbalıkları. Zehirli denizanaları. Görmemize izin verilmeyen başka şeyler, sahilin kordonla kapatılmasına, perdelerimizin çekilmesine neden olan şeyler. Gelgit suları tarar ve taşır. Dünyayı bize yaklaştırır.

"Dikkatli olun kızlar," diye uyarıyor annemiz bizi. Şimdilik izlememize izin veriyor çünkü manzara çok güzel. Işık güzel de ondan. Gözucuyla bakınca Lia'nın gözlerinin yaşardığını görüyorum. Sky'ın gözleri kapalı, ben de gözlerimi kapatıyorum, göğüskafesimde taklalar atan kalbimi hissediyorum. Kalbimin altında kımıltısız yatan bebeği düşünüyorum. Pencereler kapalı olmasına rağmen hava çam ve tuz kokuyor. Neredeyse geniz yakacak kadar keskin.

Ertesi gün annemiz sahilde devriyeye çıkınca ev hapsimiz başlıyor. Kral'ın beyaz keten pantolonunu giyiyor, ayakları paçaların altında görünmez oluyor, geniş kenarlı şapkasından sarkan tül peçe yüzünü örtüyor. Zarif görünüyor. Sahili, sığlıkları, sular asla o kadar yükselmese de ormanın kıyısını kontrol edecek. Kapıyı üstümüze kilitliyor. Resepsiyon alanında bekliyoruz, kapıya gidişini, kapı kolunun dönüşünü izliyor, kilitte dönen anahtarın tıkırtısını duyuyoruz. Dışarıda dünya yeni ve berrak bir ışıkla parlamaya başlıyor sanki.

Salona gidiyoruz. Annemiz perdeleri çekmiş ama güneş ışığını tamamen kesen panjurları indirmemiş. Lia pencereye yaklaşıyor ama Sky korkuyla "Hayır!" diye bağırınca daha fazlasına cesaret edemiyor. Onun yerine yanımıza dönüyor, elleri ve ayakları üzerine çöküyor, küçük kızkardeşimiz sırtına binsin diye bekliyor, oysa Sky bunun için fazla büyüdü artık. Kederle odada dolaşıyorlar; Lia başını iyice eğiyor, siyah saçları yere değiyor, örgüsü sarkıtılmış bir ip gibi yerde sürünüyor. Sonunda halıya uzanıp kollarıyla bacaklarını havaya kaldırıyor, sallıyorlar.

"Tespihböceği," diyor Lia, yavaşça, kontrollü bir şekilde salladığı kollarıyla bacaklarını seyrederken. Eski oyunumuz bu. "Böyle devrildik kaldık, kalkamıyoruz."

Çok geçmeden annemiz dönüyor, güvende olduğumuzu söylüyor ama ne olur ne olmaz diye pencerelerle kapıları açmamaya karar veriyoruz. Temkinli davranmamız hoşuna gidince annemiz başını sallıyor. "Çok iyi gidiyorsunuz," diyor bize, şapkasını çıkarırken. Şapkasındaki tülbent yere değiyor. "Sizlerle gurur duyuyorum."

# Lia

Travma, ağır metaller gibi saçlarımıza, organlarımıza ve kanımıza karışıp içimize işleyen bir toksindir; bedenlerimizse sindirdiğimiz ve deneyimlediğimiz şeylerin çevresindeki et katmanından başka bir şey değildir. İstiridyelerin içinde bazen bulduğumuz şekilsiz inciler gibi içimizde durur bunlar. Korku, damarlarımızda ve kalp odacıklarımızda katılaşır. Hasta kadınlar için işlediğimiz muskalar gibi bir para birimidir acı, değiştokuştur, bedeni güçlendirmenin ve hazırlamanın yoludur. "Acının ne olduğunu bildiğinizi sanıyorsunuz," derdi annemiz. "Bir şey bildiğiniz yok, hiçbir fikriniz yok." Ve sonra aile sevgisi, solunum yollarımızı yumuşak ve nemli tutan bir balsam, nefes alıp vermeye devam etmemizi sağlayan şey.

Grace'in travmasından bana da bir şeyler bulaşacağından hep korkulmuştu çünkü ben hatırlamasam da küçükken, eser miktarda zehrin bile ölçülemez hasarlara yol açacağı yaşta maruz kalmıştı toksine. Annemiz ve Kral da başka biçimlerde travma geçirmişlerdi ama yetişkinlikten bir tür örtü, koruyucu bir kılıf gibi söz ederlerdi.

İlk günlerde yaptığımız çığlık terapisinin içimizdeki duyguları boşaltmamıza, fazlalıkları ağzımızdan atmamıza yardımcı olması gerekiyordu. Rüzgârlı bir günde, açık havada, terasta duruyorduk. O zamanlar Kral'ın kulaklarının arkasında hâlâ birkaç tutam saçı vardı. Bir dev gibi göründüğünü anımsıyorum, rüzgârın beni ve Grace'i iki büklüm yaptığını da. Annemiz kulak tıkaçlarını takmış, kollarını bize dolamış, kuvvetli esen sıcak rüzgâra karşı bize destek oluyordu. Kral'ın elinde *şef değneği* dediği sopa vardı. Bizden bir-iki metre uzakta duruyordu, doğru sesle, istekle çığlık atıp atmadığımızı denetlemek istediğinden kulaklarında tıkaç yoktu.

"Çığlık göğsünüzden yükselsin," dedi bize. "Aşağıdan gelsin. Boğazınızı yırtar gibi bağırmayın. Burnunuzdan hava vermeyin."

Dediğini yaptık. Ağır hava bütün şiddetiyle ağızlarımızdan fırladı.

"Daha yüksek!" diye haykırdı Kral. Rüzgâr sesi alıp götürüyordu. Yeterince yüksek sesle çığlık atmayı asla başaramayacaktım. Yine de var gücümle bağırdım ve dayanılmaz ölçüde mutlu hissettim kendimi. Kısa ömrüm boyunca hep öyle hissetmeyi beklemiştim.

"Şimdi çığlığınız boğazınızdan gelsin," dedi bize, sopasını iyice yukarı kaldırarak. İçimizden çıkan havanın geliş yolunu yeniden düzenledik. Çığlıklarımız tizleşti, öfkeli bir neşeden dehşetle doluydu şimdi. Sopa iki yana sallanırken önce Grace daha yüksek sesle haykırdı, sonra ben. Sesim hafiften çatladı. Ağızlarımız kurumuştu.

"Son bir kez," diye cesaretlendirdi Kral bizi. "Bir kez daha. Olanca gücünüzle."

Duraksadık, nefes aldık. Kendimizi topladık ve sonra serbest bıraktık, ağızlarımızı açabildiğimiz kadar açtık, kan beynime yükseldi, havasız kaldım. Beklenmedik gözyaşları ıslattı yanaklarımı. Öyle rahatlamıştım ki. Çok rahatlamıştım.

# Grace, Lia, Sky

Babamız olmayınca, yanlış giden şeyleri düşünmemek çok zor. Yıllar önce yasak bir şey görmüştük – fırtınada kıyıya vuran bir şey, annemizin bizi eve kilitleyip perdeleri sıkı sıkı çektiği seferlerden birinde. Oysa bu evde çok fazla oda, çok fazla pencere var. Annemiz dışarı çıkınca evin üst katında başka bir odaya geçmiş ve camdan bakınca annemizle Kral'ın yerde yatan biçimsiz bir yığın için çukur kazdığını görmüştük. Bu şişman ve mor şey ancak bir hayalet olabilirdi. Bir zamanlar bir kadındı, şimdiyse bir kadının kâbusu andıran anısı. Besbelli zehirliydi ama bakışlarımızı ondan ayıramadık.

Hasarlı kadınlar annemizin çevresine toplanmıştı, hepsi hüngür hüngür ağlıyordu. Fakat Kral ağlamıyordu. Nemrut, kararlı görünüyordu. Biz olanları seyrederken hayaletin üstüne bir örtü örttü, küreği bir düşmanını öldürmek ister gibi hınçla toprağa sapladı.

# Grace

Mezarına doğru yürürken yaprakların sarardığını fark ediyorum. Yeşilliğin yaz havasında kavrulması için çok erken. Başka değişiklikleri de fark ederek ormanda dikkatle ilerliyorum. Sınıra geldiğimde tel örgünün paslanmış olduğunu, yer yer çürüyüp dağılmak üzere olduğunu görüyorum. Hamileliğin sezgileri güçlendirdiğini düşünüyorum. Duyuları geliştirdiğini. Annemizin savı hamileliğin insanı aşırı duygusallaştırdığı yönünde. Bense uysalım, hormonların etkisindeyim, metal tadı almak için soğuk çay kaşıklarını ağzıma sokmak geliyor içimden.

Sınır hakkında annemizle konuşmaya çalıştım ama ya bu konuyu bildiğini belli etmek ya da benimle konuşmak istemiyor.

Bebeğimi ıslak bir yığın halinde tehlikeli bir dünyaya getirme düşüncesi beni çok endişelendiriyor.

# Lia

Bazı şeylerin babamla birlikte öldüğünü sanmıştım ama yanılmışım. Kahvaltıda annemiz bu sabah sevgi terapisi için sahile gideceğimizi söyleyince kaşığımı masaya bırakmak zorunda kalıyorum. Birden iştahım kesiliyor. Konserve meyve topları sularında mecalsiz yüzüyor. Yanlarında siyah bir yumurta sarısını andıran bir kuru erik. Grace istifini bozmadan mandalina dilimlerini kaşıklamayı sürdürüyor. Terapiler onun için hiçbir zaman o kadar kötü değil. Çuvala sokarken, bir demiri çekmek için uzanırken elleri asla titremiyor.

Sahile yaklaşınca kapaklarına hava deliği açılmış iki küçük karton kutu görüyorum. Kutuların yanında su dolu büyük bir kova duruyor. Daha küçük bir kova, bir kutu kibrit, bir kuru dal ve yaprak yığını, iki çift de kalın bahçıvan eldiveni var. Sky uzanıp Grace'in elini yakalıyor, ben de kendiminkileri arkamda kavuşturuyorum.

"Kızlarım," diyor annemiz. Mevsim yüzünden, güneş yüzünden yüzü çillenmiş, gözleri iki solgun cam parçasını andırıyor, dudakları çatlamış. Bunu çok sevmiştir hep, cesur olmaya çalıştığımızı görmeyi. Bana ve Sky'a öne çıkmamızı işaret ediyor.

"Lia, önce sen," diyor bana. En az sevgi gören başlar terapiye her zaman. Kalın eldivenleri ellerime geçiriyorum. Annemiz yere eğilip iki kutuyu havaya kaldırıyor. "Seç."

Kutulardan birini alıp ellerimin arasında tutuyorum. İçinde koşuşturan bir şey var, kutunun ağırlık merkezi değişiyor. Onu yanıma, kuma koyuyorum, diğer kutuyu alıyorum. Bu kutunun içinde de canlı bir şey var fakat hareketleri daha yavaş. İki kutudan da nemli orman kokusu geliyor. Kutuyu yere bırakıyorum.

"İlk kutuyu seçiyorum," diyorum ona. Ne olacaksa bir an önce olsun. Annemiz başıyla onaylıyor.

"Bir fare," diyor. "Sabah tuzaklarda buldum." Önce bana, sonra Sky'a bakıyor. "Sky, kutuyu al."

Sky ilk kutuyu eline alıyor. İçindeki fare koşuşturuyor, kutunun kenarını tırmalıyor. Kardeşimin elleri titriyor.

"Fareyi Sky'ın boğmasına izin verebilirsin," diyor annemiz bana. "Veya bunu onun yerine yapabilirsin."

Sky yalvarırcasına bana bakıyor ama hiç gerek yok. İçindeki minik kadife bedenin avucumda nasıl kımıldayacağını düşününce ağlayacak gibi olmama rağmen kutuya uzanıyorum hemen. Kapağı açarken kardeşlerim sessizce beni izliyor.

"Sakın kaçırma," diyor annemiz ama fareyi tek hamlede yakalıyor, kaldırıp kovaya atıyorum. Kahramanca çırpınıyor ama çoktan bitap düşmüş. Çok geçmeden suyun dibine batıyor, hareketsiz kalıyor. Genzimde biriken gözyaşlarını hissediyorum. Sky sessizce *Teşekkür ederim*, diyor bana bakarak. Onun da gözleri dolu.

Diğer kutuda bir kurbağa var, kösele gibi derisiyle şaşkın, öylece duruyor. Sky'ın ona dokunmaktan korkacağını biliyorum ama benim öyle bir derdim yok, eldivenli parmağımla dikdörtgen sırtını okşuyorum, tek yapmam gerekenin bu olduğunu umuyorum. Fareler zararlıdır, hastalık saçarlar, hayatta kalmak isteyenlerin düşmanıdırlar. Kurbağalar öyle değildir. Fakat annemiz kumdaki kibrit kutusunun yanında duran çıraları işaret ediyor.

"Anne, hayır," diyor Grace. "Acımasızlık bu."

"Hayat acımasızdır," diyor annemiz ona. "Siz kızlar şimdiden birbiriniz için zor kararlar almaya başlamazsanız ileride asla yapamazsınız."

Kurbağaya, çirkin derisine bakıyorum. Hareketleri yavaş, ellerimin sıcaklığını rahatlatıcı bulmuşa benziyor.

"Anne," diyorum ben de. Ağzım kupkuru.

"Lütfen anne, hayır!" diyor gözyaşlarına boğulmak üzere olan Sky. "Lütfen yaptırma bunu bize."

"Çıplak elle dokunurum ona," diyorum. "İstersen boğarım onu."

"Olmaz," diyor annemiz. "Hastalanmanı istemiyorum. Hem yüzebilir de. Dünkü çocuk değilim ben." Kardeşlerime bakıyor. "Ateşi yakın hadi."

Ateş yakılınca, küçük alevlerin başına çömeliyorum. Annemiz bana bakıyor, istediği şeyi yapıp yapmayacağımı anlamaya çalışıyor. Kurbağayı bırakabilirim, sahilin ilerisine fırlatabilirim. O zaman da ölebilir, bedeni ezilip canı çıkabilir. Zorlukla nefes alıyorum.

"Yapamayacaksan Sky'a ver," diyor annemiz yeniden. Ama kızkardeşimin yapmasına izin veremem, bunu annemiz de biliyor. Kurbağayı alevlerin arasına atıp geri çekiliyorum.

O anda annemiz alevlerin üstüne bir kova su boşaltıyor. Kurbağa zıplayarak uzaklaşıyor, sırtı kararmamış bile.

"Sınavı geçtin," diyor annemiz bana. "Aferin."

Sky başını kaldırıp bana bakıyor, yüzünden minnettarlık akıyor. Duygularımız elektrik akımı gibi gidip geliyor aramızda. Onun duygularını kabul ediyor, soğuruyorum ve birden yoğun bir ağlama isteğine kapılıp kirli eldivenleri çıkarıyor, yüzümü ellerimle kapatıyorum.

# Grace, Lia, Sky

Annemizin yataktan çıkmadığı günler hâlâ oluyor ama artık eskiye göre daha seyrek. Öyle günlerde Kral'ı düşündüğünü, hiç bilmediğimiz ve büyük olasılıkla asla bilemeyeceğimiz türde bir acı çektiğini anlıyoruz. Bilmemenin bir armağan olduğunu söylüyor; bize verdiği ve her zaman olanca gücüyle koruduğu hayatlar gibi bir armağan bu da.

"Bunun için minnet duyamaz mısınız? Bunun için bana teşekkür edemez misiniz?" diye soruyor kapıda durmuş ona bakan bizlere, karanlık bir lekeyi andıran örtülerin altından, yataktan.

"Tabii, anne," diyoruz. "Teşekkür ederiz, anne."

# Grace

"Erkeklerin size yaptığı şeylerin resmini çizin," derdi annemiz, hasarlı kadınlara. Lia, Sky ve benim de bu tür seanslara katılıp bir kenarda oturmamıza izin verilirdi bazen. "Sözcükleri konuşarak içinizden atmaya ihtiyacınız kalmasın diye." Bütün bunların gizemi. Her sayfaya bakmak isterdim ama kadınlar ölümcül bilgiler içeriyormuş gibi bedenleriyle siper olurdu defterlerine.

Kâğıtların üstüne kapanır, kalemlerini geniş kavislerle kâğıdın üzerinde dolaştırırlardı. Yoğun bir dönemdi. O sırada yedi veya sekiz kadın kalıyordu bizimle. Kahvaltı masasının üstünden sulanmış gözlerle bize bakar, seninle ve annemizle ormanın kıyısında durur, gevşekçe el ele tutuşup karanlığı seyrederlerdi.

"İsterseniz soyut olabilir çizdikleriniz," derdi annemiz onlara, cömertçe. Tırnaklarındaki ojeler dökülmüştü. Yorgun görünüyordu. Kadınların arasında dolaşır, resimlerine bakmadan önce omuzlarına hafifçe dokunurdu.

"Bakabilir miyim?" diye sorduktan sonra her sayfayı dikkatle incelerdi.

İçlerindekileri kâğıda dökmek sözcüklerin havaya karışmasına izin vermekten daha iyiydi, diğer türlüsü pisliği yanlarında getirmekle aynı şey olurdu. Resimleri görmedik. Kadınlardan biri ağladı, sayfayı yırtarak ortasına bir delik açtı. Bir başkası ayrıntılı bir resim çizdi ve bütün öğleden sonra boyunca oturup yaptığı resmi santim santim sildi.

Daha sonra, resimlerin hepsi yakılırken sahilde onlara katılmamıza izin verildi, kadınlar ateşe kibrit ve tuz attı. Sen hep mesafeni korur, olanları geriden izlerdin. Bakmak istemiş olmalısın. Resimler senin yaptığın şeyleri göstermiyordu fakat kadınların acısı nasıl bize aitse, eylemler de sana aitti. Bedenin seni her şeye rağmen hain kılıyordu. Gelgit suları yükselene dek orada kaldık, sular küllere ulaşıp vıcık çamura dönüştürdü hepsini.

# Lia

Yıllar boyunca tekrarlandığından aniden uyandırılmaya, gözlerimi açtığım anda annemizin eliyle ağzımı kapatmasına alışkınım. Hâlâ başımıza gelmemiş olan belirsiz bir felaketin talimi için uyandırılıp onun sebze kokan, nemli ve soğuk nefesini hissetmeye, hızla kırpıştırdığı gözlerinin parlayan beyazını görmeye alışkınım. Annemiz derin uykuya dalmış numarası yapan kızkardeşlerimi uyandırmaya kıyamadığında bile kalkıp onunla giderim. Bu kez gerçekten bir şey olabileceğini düşünmem bir yana, benden istemesi yeter. Korkudan midem bulanır ama başka bir şey, umuda benzeyen bir şey de duyarım. Mevsimler her yıl daha sıcak geçiyor, toprak bana değişimin yaklaştığını söylüyor, hava *Hep böyle kalmayacağım*, diye fısıldıyor ve bu arada ben de başka kimse gitmezken el fenerinin beyaz ışığında annemizin peşinden aşağı inmenin mahremiyetinin keyfini çıkarıyorum; çünkü sevilmek güzel, buna inanıyorum ve iyi bir kız oldum, hep iyi bir evlattım.

Sonunda fırtınalı bir gecede olan oluyor. Annemiz bizi uyandırıyor, itirazlarımıza aldırmadan kaldırıyor, kendi banyosuna götürüyor. Banyo küçük, çok sıcak, yerde battaniyeler ve yastıklar var ama tek penceresinin ahşap panjuru dışarıdan gelen ışığı kesiyor. Kral bu panjuru kendisi yapmıştı, böylece karanlıkta fotoğraf tab edebiliyor, solüsyon damlatan fotoğraf kâğıtlarını banyo küvetinin üstüne asıyordu. Annemizin lavaboya doldurduğu suda dekoratif mumlar yüzüyor. Küvete Grace için yatak yapmaya çalışıyoruz ama artık küvete sığamayacak kadar irileşmiş, incecik bacakları ve kocaman karnıyla bir böceği andırıyor, sonunda başının altına katlanmış bir havlu yerleşiren Sky yatıyor küvete. Grace de yere uzanıyor, ellerim karnının üstünde, havada dolaşıyor. Duyduğum ihtiyaç rahatsızlık verecek kadar yüksek sesle patırdıyor. "Yapma," diyor Grace. Nazikçe söylemiyor bunu.

Dudaklarımızı metale yapıştırarak musluktan su içiyoruz. Parmaklarımızla birbirimize su serpip serinliyoruz. Annemiz ayağa kalkıp pencereden dışarıyı görmeye çalışıyor. Rüzgâr ahşap panjuru iyice sarsmaya başladığında, Kral'ın yolculukları sırasında kullanmak için geliştirdiği "şşş" seslerini çıkarmaya başlıyor, fırtınayı böyle yatıştırabilirmiş gibi dudaklarını büzüyor. Yağmurun patırtısını, annemizin bizi korumak için çıkardığı sesleri dinleyerek kıvrılıp uyuyoruz.

Sabah uyandığımızda fırtına bitmiş, annemiz yok. Üçümüz birbirimizi uyandırıyoruz, kapıdan çıkıp yavaşça annemizin yatak odasına gidiyoruz, pencerenin önünde durmuş sahildeki bir şeye bakıyor. Titrediğini görünce ben de titremeye başlıyorum. Elimde değil.

"Orada durun," diyor bize, dönüp bakmadan. "Kımıldamayın."

Onu duymamış gibi yapıp pencereye yaklaşıyoruz. "Hayır," diyor yeniden, ama çok geç artık.

Sahilde, kıyıya vuran büyük dalgaların yukarısında, kumların üstünde üç kişi yatıyor. Onları seyrettiğimiz sırada, biri doğrulup hantal hareketlerle öğürerek kumlara kusuyor. Oturmaya devam ediyorlar.

"Erkekler bunlar," diyor annemiz, bizi geriye itmek için kollarını açarak, oysa erkekler aşağıda, sahilde ve şimdilik güvendeyiz. "Erkekler geldi bize."

# II

# ERKEKLER

*Evinizi bana açtığınız için teşekkürler. Hiç umut kalmadığını, bundan sonra acıdan ve çaresizlikten başka bir şey olmadığını hissetmek çok ağır. Cevabın kızkardeşlik olduğunu tahmin etmem gerekirdi. Diğerlerini tanımaya can atıyorum.*

# Lia

Acil durum hayatımızda hep vardı, o an olmasa bile her an bir olağanüstü durumla karşılaşabileceğimizi biliyorduk. Bir anda kopup geçen bir gürültüden sonra havanın çınlayışı. Gök gürültüsünden önce sessiz geçen saniyeler. Ve işte, nihayet, hayatlarımız boyunca beklediğimiz acil durum.

Yanımıza uzun tülbentler ve bıçaklar alıyor, erkekler hâlâ halsizken sahile gidiyoruz. Yanlarına ulaştığımızda üçü de kumlarda oturuyor. İki yetişkin erkek, bir erkek çocuk, üçü de tuza ve kuma bulanmış. Çocuk hüngür hüngür ağlıyor. Güvenli bir mesafede yarım daire oluşturup duruyoruz, ellerimizde tülbentler, hazırız.

Adamlardan biri ayağa kalkıyor. Bedeni uzun, siyah saçları ve sakalı kısacık kesilmiş. Diğer adam daha yaşlı, boyu daha kısa, saçları sarı, kır veya ikisi birden, gözleri ilk adamınkini andıran solgun bir renkte. Yerde, ayaklarının arasında mavi bir sırt çantası duruyor.

"Lütfen korkmayın," diyor ayağa kalkan adam. Sözcükleri bizden daha farklı söylüyor. Uzakta olmamıza rağmen elimizi sıkmak ister gibi elini uzatıyor. Yakında olsak da sıkmazdık elini gerçi.

"Kımıldama," diyor annemiz. Elini hemen indiriyor adam.

"Kaza geçirdik," diyor, hafifçe sallanarak. "Teknemiz battı." Eliyle denizi gösteriyor ama teknenin enkazını göremiyoruz.

"Burada olmamanız gerekir," diyor annemiz ona. "Burası özel mülk."

"Sığınacak bir yer arıyoruz," diyor adam. "Kocanızı, Kral'ı duyduk. Onunla konuşabilir miyiz?"

Annemizin yüzünde kararsızlık beliriyor.

"Kızlar, sahilin yukarısına gidin," diyor bizlere. "Uzaklaşın."

Söyleneni yapıyoruz, annemiz elini kaldırınca duruyoruz.

"Erkekler," diye fısıldaşıyoruz, başlarımızı birbirine değecek kadar yaklaştırıp. "Erkekler erkekler erkekler." Dehşet içindeyiz. Dizlerim titriyor. Dönüp dişlerini, pençelerini, silahlarını görmeye çalışıyorum ama tehlike işareti olabilecek hiçbir şey yok görünürde.

Annemiz bir süre adamlarla konuştuktan sonra yaklaşmamızı işaret ediyor.

Yabancılar ayakta duruyor, annemiz bıçağını sıradan bir şey, bedeninin çok iyi tanıdığı bir uzvuymuş gibi elinde çeviriyor.

"Sizi boğmamamız için bir sebep gösterin," diyor.

"Bir çocuğu boğabilir misiniz?" diye soruyor siyah saçlı adam. Çocuğu öne itiyor. Kızkardeşlerim ve ben birbirimizi sıkı sıkı tutuyoruz. Çocuk çok sevimli. Gözleri tavşan gibi, pembe pembe.

"Kızlarım için yapmayacağım şey yoktur," diyor annemiz, metanetle.

Erkekler dönüp suya bakıyor. Sular yatıştı ama akıntılar insanı bir anda çekip dibe sürükleyebilir.

"İşinize yarayabiliriz," diyor yaşlı adam. "Sizi koruyabiliriz."

"Korunmaya ihtiyacımız yok," diyor annemiz.

"Yakında olabilir," diyor siyah saçlı adam. "Sizi tehdit etmiyoruz, yanlış anlamayın. Fakat dünyada öyle şeyler oluyor ki. Bizden daha kötü insanlar peşinize düşebilir."

Annemiz bunu bir süre düşünüyor.

"Belki de büyük bir şans bu," diye devam ediyor adam. "Bizler de onun gibi babaydık, eşlerimiz vardı." Demek annemiz onlara anlatmış. Ani bir acı geçip gidiyor içimden. Adam bize bakıyor. "Başkalarını korumayı biliriz."

Çocuk bacakları artık tutmuyormuş gibi birden kumlara çöküyor. Yaşlı adam elini onun yumuşak başına koyuyor.

Kral gittiğinden beri tuzakların hiçbirini kontrol etmedik. Kral gittiğinden beri devriye gezmeyi bıraktık. Toksin taşıyabilecek hayvanları öldürmedik. Şimdiden yumuşadık, ihtiyatın yükü altında bitkin düştük. Fakat annemizin acelesi yok. Erkeklerin yalanlarını ve kandırmacalarını bilir annemiz.

"Zamana ihtiyacımız var," diyor onlara. "O zamana dek burada kalın. Sizi görebileceğimiz yerde."

Siyah saçlı adam ona bakıyor. "Nereye sığınacağız?"

Annemiz omuz silkiyor. "Fırtına geçti."

"Biraz su verir misiniz, ne olur?" diye soruyor yaşlı adam.

Annemiz eliyle denizi gösteriyor. "İşte su orada."

Eve dönüp hiçbir şey olmamış gibi kahvaltı masasına oturduğumuzda, "Onları ölüme mi terk edeceğiz yani?" diye soruyor Grace, ondan beklenmeyecek bir merakla. Annemiz yemek odasının ve mutfağın normalde hep açık duran kapılarını kilitliyor. Teknelere doğru yürürlerse onları görürüz ama teknelerin hiçbiri üç erkeği alacak kadar büyük değil zaten. Beyaz ve kırmızı renkli sürat teknesi en fazla iki kişi alıyor. Kürekli sandal da su alıyor ve kısa yolculuklarda kullanılabilir ancak.

"Bırak da düşüneyim Grace," diyor annemiz.

"Belki de Kral'ın arkadaşıdırlar," diyor Grace, annemizi duymamış gibi. "Belki de ona saygılarını sunmaya gelmişlerdir."

Annemiz elini başına götürüyor, olanların stresi migrenini tetiklemiş olmalı. Ağrının hastalıklı voltajı sol gözünden bedeninin sol tarafına yayılıyor. Normalde yalnız kalmak ister ama şimdi ağrısı geçene kadar yanında kalmamızı istiyor. Perdeleri kapatıp saatlerce odasında bekliyoruz, ipeksi akşamüstü karanlığında nefeslerimizi tutup pencereden erkekleri kontrol ediyoruz. Grace annemizin alnına ıslak bir bez yerleştiriyor. Uyuduğundan emin olunca, yatak odasının penceresinden erkekleri seyrediyoruz üçümüz. Siyah saçlı adam dizlerine kadar suya girmiş, gömleğini çıkarmış, sırtı bize dönük. Dışarısı çok sıcaktır şimdi. Küçük olan çiğnenip tükürülmüş bir şey gibi kumda yatıyor. Yaşlı adam dizlerinden birini göğsüne çekmiş oturuyor, çocuk gibi o da kımıltısız.

Gece boyunca sırayla nöbet tutuyoruz. Sıra bana gelince zemin katta coşkuyla odadan odaya dolaşıyorum. Ağzım kurumuş. Mutfakta, toprak rengi ve siyah karoların üstünde otururken kapıdan bir tıkırtı geliyor. Mutfaktan bahçeye açılan kapının önünde bir karartı var.

Siyah saçlı adam ve çocuk. Camın arkasından beni seyrediyorlar. Çocuk yine ağlamaya başlıyor, yüzü yabancı ve akışkan, adam sessizce bir şey söylüyor, ağzına dikkatle bakınca *Lütfen* dediğini anlıyorum. Bu sözcüğün bana söylenmesine alışkın değilim. Bir büyü bu, bir zayıflık. Duygulanıyorum; onları içeri alıyorum.

Eşiğin üzerinden atılacak bir adım, birkaç santimlik mesafe, dışarıdan içeri geçmelerine yeter. Adam duraksamıyor, fikrimi değiştirmemden korkuyormuş gibi seri bir hareketle çocuğu içeri itiyor. Fikrimi değiştirebilirim gerçekten, aslında değişirmeliyim de. Sonra ikisi de başlarını kaldırıp bana bakıyor, ilk kez açıktan göz teması kuruyorlar benimle. Gözleri suratlarında gölgeli çukurları andırıyor, anlayamadığım şeyler barındırıyor.

"Sadece su istiyoruz," diyor siyah saçlı adam alçak sesle, hızlı hızlı konuşarak. "Biraz da yiyecek, lütfederseniz. Sonra hemen gideceğiz."

Onlara sırtımı dönüp lavabodan bardaklara su dolduruyorum. Yasak bedenlerinin yakınlığı yerçekimi etkisi gibi. Bir dikişte boşalttıkları bardakları yeniden dolduruyorum. Bir süt şişesi bulup ona da su koyuyorum. Yemeyi planladığım kuru meyveleri –bahçeden toplanmış incirler; kuruyup kristalleşmesi için tavan arasında bir tepsiye dizilmiş, ortadan ikiye yarılmış kalpler– tenleriyle temas etmemeye özen göstererek uzatıyorum. Ondan sonra gidiyorlar, arkalarına bakmadan kapıdan çıkıyorlar, ben de peşlerinden çıkıyorum, onları seyrediyorum, hâlâ nöbet tutuyorum.

Annemiz migren nöbetinden sonra sabah dinlenmiş kalkıyor. Her şeyin kokusu daha iyi geliyor ona; ekmek ve tereyağı, elma ve çay istiyor. Gece bir görüntü ziyaret etmiş onu. Kral'ı görmüş, annemize *şimdi ve daima merhamet etmesini* söylemiş Kral. Havuzda yüzüyorlarmış, suyun dibinde buluşmuşlar. Annemiz ona dokunmak üzereyken uyanmış. Bize bunları anlatırken biraz ağlıyor, gözünün altında bir damla yaş.

"Bir rüya gördün yani," diyor Grace.

"Sen yüzme bilmiyorsun ki," diye ekliyor Sky.

"İkiniz de acımasızsınız," diyor annemiz. Soyduğu elma diliminin kabuğunu başparmağıyla ayırıyor, yırtıcı bir hareketle koparıyor.

Erkeklere ne yaptığını görmememiz gerekiyor ama

olanları Grace'in odasının penceresinden seyrediyoruz, oradan her şeyi görebiliyoruz. Sky ve ben eğilip pencerenin altına saklanıyoruz, saçımız yüzümüze düşüyor, ağzımıza giriyor. Grace bize her şeyi anlatıyor, sesi sanki uzaktan geliyor.

"Onlara giysilerini çıkarttırıyor," diyor Grace.

Gözlerimizi kısıp olanları izliyoruz. Erkekler tişörtlerini ve kot pantolonlarını çıkarıyor. Annemiz işaret ediyor. Kral'ın tabancasını onlara doğrultuyor. İç çamaşırlarını da çıkarıyorlar. Tenlerinin belli yerleri bizimkiler gibi farklı renklerde ama tek ortak yanımız bu. Hem tiksiniyorum hem büyüleniyorum onlara bakarken. Grace de iğrenmiş gibi bir ses çıkarıyor.

"Silahları var mı diye giysilerini ve çantalarını kontrol ediyor," diyor Grace. Gerçekten de erkekler geri çekilmiş; annemiz yerde yatan buruşuk giysileri birer birer alıp iyice salladıktan sonra yere bırakıyor.

"Silahı yeniden onlara doğrultuyor," diyor Grace. Keşke sessiz olsa. Annemizi hepimiz görüyoruz sonuçta; kolu havada, tabancası önde erkeklere yaklaşıyor. Elleriyle kendilerini örtmeye çalışıyorlar ama onlara durmalarını emretmiş olacak ki kollarını iki yana indiriyor, bedenlerini sergiliyorlar.

Onlarla akşam yemeğinde tanışıyoruz. Üzerlerinde babamıza ait giysilerle içeri giriyorlar, bizlerden en az bir baş uzunlar, yetişkin erkekler olmalarına rağmen Kral'ın giysileri üstlerine bol geliyor. İçeri girdiklerinde masada oturuyoruz ama onları görünce törensel bir tavırla ayağa kalkıyoruz. Ne olur ne olmaz diye cebime yerleştirdiğim katlanmış tülbente dokunuyorum. Erkekler masanın karşı tarafına diziliyor; güneşte yanmış, bitkinler. Annemiz sofranın başında ayakta duruyor.

"Ben Llew," diyor siyah saçlı adam. Elini yanında

oturan çocuğun omzuna koyuyor. "Bu da Gwil. Merhaba de onlara."

Gwil ayağa fırlıyor, önce yüzlerimize, sonra pis tavana bakıyor. "Merhaba," diyor.

"Ben James," diyor yaşlı adam. "Gwil'in amcasıyım. Llew'ün ağabeyi."

Aralarında kan bağı olmasına şaşırıyor ve seviniyorum; bir tür yakınlık duyuyorum onlara. Bizler de yaş sırasına göre adlarımızı söylüyoruz.

"Oturun," diyor annemiz, söyleneni yapıyoruz.

Erkekler hızla yiyorlar, fazla hızlı yiyorlar. Boğulacaklar diye korkuyorum. Llew istiridyeleri ayıklayıp kendi tabağına ve Gwil'in tabağına koyuyor. Hareketlerinin akışkanlığı, parlak ve keskin bakışlı gözleri. Kollarındaki kıllar beni hem tiksindiriyor hem büyülüyor. Ona baktığımı gören Grace masanın altından yanlamasına tekmeliyor beni.

Llew bize adının nasıl telaffuz edildiğini anlatıyor ama hiçbirimiz beceremiyoruz adını söylemeyi. Kendi kendime adını söylemeyi öğrenip onu etkilemeyi planlıyorum. Suyumu doldurduğum şarap kadehinden su damlacıkları süzülüyor.

James yaşımı sorunca omuz silkiyorum. Grace'e dönüp hamileliğin kaçıncı ayında olduğunu sorduğunda, annemiz söze karışıp kız çocukların oğullara göre ne kadar üstün olduğunu anlatıp vaaz çekiyor. Sandalyelerimizde kımıldanıyoruz.

"Sizin kızınız var mı?" diye soruyor adamlara.

Hayır, henüz yok, diyorlar ona. Belki bir gün. Hayal kırıklığına uğruyor annemiz. Grace tabağındaki balığın kuyruğunu hırsla koparıyor.

Bir süre sessizce yemek yiyoruz. Annemiz bir şey söyleyip söylememeyi düşünüyor sanki. Sonunda çatalını masaya bırakıyor.

"Artık kimse gelmiyor buraya," diyor onlara. Sesini alçaltıyor ama hepimiz duyuyoruz onu. "Eskisi gibi değil artık." Duraksıyor. "Dolayısıyla, bilemiyorum. Kendi yolunuzu çizmek zorundasınız."

Teknelerle gelen hasarlı kadınların seyrelmiş saçlarını, tuhaf seslerini ve kesekâğıdına sarılmış hediyelerini düşünüyorum. Şakaklarının, ellerinin saydam derisini.

"Gelecekler," diyor Llew, tabağına biraz daha yemek koyarken. Sesi nazik. "Bizi bulacaklardır. Onlar bizi bulana kadar, birkaç gün daha burada kalmamız gerekiyor, hepsi bu."

Annemiz artık bir şey söylemiyor, yalnızca çatalını ağzına götürüyor. Bulunacaklarından bu kadar emin olmaları gözlerimi yaşartıyor.

Yemekten sonra gizlice merasimlerimizi yerine getiriyoruz. Annemiz adamların dikkatini kâğıt oyunlarıyla dağıtıyor, kâğıtları masaya yayıp onları oynamaya teşvik ediyor. Yüksek, cam kapılardan çıkıp duvara yansıyan, kımıldayan gölgelerini seyrediyoruz, kolları uzanıyor, seslerinin yabancı mırıltısı geride kalıyor. Avuçlarımızda tuzla sahile iniyoruz, her zamanki gibi özenle serpiyoruz.

Uykuya dalmadan önce, gökyüzü hâlâ aydınlıkken görüyorum tepemizden geçen tuhaf kuşu. Daha önce hiç görmediğim türde bir kuş, başımı kaldırıp hayretle gergin kanatlarına, gökyüzündeki karanlık gölgesine bakıyorum. Kuş epey yüksekten geçiyor fakat aralık banyo penceremden başımı dışarı uzatınca şarkısının alçak sesli uğultusunu duyabiliyorum. Grace odasında, biliyorum, ona sesleniyorum, koşup kapısını tıklatıyorum, onu alıp odama getiriyorum. Daha iyi görebilmek için klozete çıkıyor ama yüksekte uçan kuşu görüş alanımızdan çıkana dek ancak birkaç saniye için görebiliyor. Yuvası nerede merak ediyorum, sürekli uçuyor mu yoksa dalgalara inip sendeleyen dünyanın enkazından bir sal mı inşa ediyor kendine? Grace uzanıp elimi tutuyor, parmaklarını benimkilere geçirip bir an elimi sıkıyor, sonra çekiyor, artık bunu yapmadığımızı hatırlamış gibi.

Ağlamamıza asla izin verilmezdi çünkü ağlamak enerjilerimizi boğucu hale getirirdi. Ağlamak moralinizi bozar, sizi savunmasız bırakır, bedeninizi mahveder. Bizi hasta eden şeyin çaresi suysa, yüzlerimizden ve kalplerimizden gelen su yanlış türde bir su olmalı. Acımızı içine çeken ve serbest bırakması tehlikeli türde bir su. Bezleri, hapsedilmeyi, başlarımızın suyun altında tutulmasını gerektiren türde acil durumları *patolojik umutsuzluk* diye nitelendirirdi Kral. Acil durum ilan edilmesine yol açan şey genellikle kızkardeşlerimle hep bir ağızdan ağlamamız, ağlamayı bir türlü durduramamızdı.

Ben ağlamayı severim oysa. Kral gittiğinden beri ağladığım için suçluluk duymayı da unuttum. Şimdi ne yaptığımı fark edecek kimse kalmadı. Odamda yalnızken, pencereler ardına kadar açık, güneş ışığı gözlerimi tembel tembel okşarken ağlıyorum. Veya havuzda suyun altında, bütün suyun aynı su olduğu yerde. Bazen kızkardeşlerimin ölümünü hayal ediyorum, terasta parmaklıklara yaslanıp durduklarını ve buruşturulmuş kâğıt gibi birer birer aşağı düştüklerini gözümde canlandırıyorum ve hayatta olduklarını bilmeme rağmen gözlerimden yaşlar boşalıyor. Her şeyin daha kötü olabileceğini bilmek önemli. Gittiklerini hayal etmek, sevgimin kenarlarını keskinleştiriyor. Öyle anlarda benim için ne ifade ettiklerini anlayacak gibi oluyorum.

Erkeklerin geldiği gece, nedenini bilmeden uzun süre ağlıyorum. Uykum hafif. Uzaktaki bedenleri, evin bir köşesinde kaybolmuş sıcak parmak izlerini andırıyor.

*Kocam köyden ayrıldı. Kardeşlerim gitti. Herkesin kocası, kardeşleri, oğulları ve babaları, amcaları ve yeğenleri gitti. Sürüler halinde gittiler. Gittikleri için af dilediler. Tehlike içlerindeydi. Anlayış göstereceğimizi umuyorlardı.*

Sabah olunca sınır çeker gibi üçümüzün odaları arasındaki koridorlarda dolaşıyorum. Eskiden halıdaki sarı desenlerin ateşten yapılmış olduğunu söylerdik; bunlardan birine basan yanıp ölürdü. Dikkatli adımlarla ormana bakan pencereye kadar gidiyor, kollarımı pervaza yaslıyorum. İçeri dolan tatlı hava tertemiz ama bazı ağaçlar sararmış, ölüyor. *İhtiyat*, diye fısıldıyorum kendi kendime. Kulağımı sırayla kızkardeşlerimin kapılarına yaslıyor, nefes alıp verdiklerini duyunca memnun oluyorum.

Merdivenin başından uzaktan gelen piyano sesini duyabiliyorum. Zihnini temizlemek için piyanonun başına oturan annemizi bulacağımı sanıyorum ama balo salonuna girince sırtı bana dönük oturan Llew'ü görüyorum. Geniş omuzları, kısacık kesilmiş saçları. Ormanda çalıların arasına dalan bir yılan görmüş gibi afallıyorum. Elleri notaların üstünde dolaşırken başını çevirip bana bakıyor, onun da benden korktuğunu anlıyorum, en azından o anda olabileceğim kişiden korkuyor. Elinde tabancasıyla annemiz mesela. Onu gafil avlamaya gelen kindar kadınlar. O ve piyano, kusursuz ve sıcak bir güneş ışığı dikdörtgeninin tam ortasındalar.

"Sensin," diyor. "Bize su veren kız."

Başımla onaylıyorum.

"Seni uyandırdım mı?" diye soruyor. Başımı iki yana sallıyorum. "İyi." Piyanoyu işaret ediyor. "Çalabiliyor musun?"

"Hayır," diyorum.

"Neden?" diye soruyor.

Omuz silkiyorum.

"Zaten akortsuz," diyor. "Deniz havasından olacak." Başını yana yatırıyor. "Isırmam seni. Yanıma gelebilirsin."

Annemiz bedenimizin her hareketini incelemenin ne kadar önemli olduğunu anlatmıştı bize. Her adımımızı dikkatle atmamızı söylemişti. Beden en saf alarmdır. Bir şeyler yanlış geliyorsa, muhtemelen öyledir. Bedenim korkudan zonklamıyor, hayır, ama ellerim titriyor biraz. Merak ettim, hepsi bu. Yanına yaklaştığımı görünce gülümsüyor.

Piyano taburesinde bana yer açıyor. Giysilerine rağmen bedeni bir kadının bedeninden daha sıcak. Babam gibi o da etten yapılmış. O kadar da korkunç değil, ona bu kadar yakın olmak. Parmaklarımdan birini tuşlara götürüyorum, rasgele bir tuşa basıyorum. Benimkine yakın bir tuşu seçip uyumlu bir ses çıkarıyor, sonra başka bir tuşa basıyor.

"Piyano çalmayı herkes öğrenebilir," diyor. "Bebekler öğrenebilir. Yaşlılar da. Geç kalmış sayılmazsın."

Piyano çalmayı hiç öğrenmedim çünkü hem beceriksiz hem ilgisizim, ayrıca notaların sesi sinirimi bozuyor, göğsüme sert bir üzüntü yumağı oturuyor. İhtiyacım yok, diyebilirim ona, zaten yeterince üzgünüm. Onun yerine bana hatırlamayı başarabildiğim basit bir melodi öğretmesine izin veriyorum. Melodiyi, bir-iki kez, giderek daha hızlı çalıyorum. Beni tebrik ediyor ama alt tarafı on beş nota ezberledim, çok da büyük bir başarı sayılmaz. Benimkilerden çok daha beyaz görünen dişlerinin arasından havayı içine çekiyor. "Gördün mü?" diyor.

Kapı yeniden açıldığında içeri giren annemiz; dönüp bakmadan o olduğunu anlıyorum. Hemen ayağa kalkıyorum ama Llew yerinden kımıldamıyor.

"Günaydın!" diye selamlıyor Llew annemizi. Annemiz onu görmezden geliyor.

"Kahvaltı saati geldi," diyor onun yerine, bakışlarını üzerimden ayırmadan. "Herkes uyandı."

Llew bir şey söylemeden piyanonun kapağını kapatıyor, tabureyi geriye doğru itip ayağa kalkıyor. Uzun ve yapılı olmasına rağmen hareketlerinde bir akışkanlık var; varlığını gerekçelendirmek zorunda kalmamış olduğunu, eğilip bükülüp gizlenmeye ihtiyaç duymadığını anlıyorum ve bunun nasıl bir his olduğunu merak ediyorum, bedeninin ayıplanamaz olduğunu bilmenin. Peşinden odadan çıkmaya çalışıyorum ama yanından geçerken annemiz beni bileğimden yakalıyor. Bir şey söylemiyor ama neredeyse kapanacak kadar kıstığı gözleriyle bakıyor suratıma.

Bir an ondan nefret ediyorum. Parmaklarımı gırtlağına kenetlemek istiyorum. Sonra her zamanki gibi onu sevmem gerektiğini hatırlıyorum ve gözlerinin içine bakıp pembe bir ışık küresi hayal ediyorum; kendi itaatkâr kalbimi.

Kahvaltı masasında, annemiz yeni kuralları bildiriyor. Bütün gece uyumamış, çevremizdeki dünyayla mücadele etmek için yürürlüğe konması gereken yeni düzenlemeleri düşünmüş. Bu konuda suçluluk duymamız gerektiğini ima ediyor. Annemizin ruhunu sürekli sınıyor, farkına bile varmadan onu incitiyoruz. Kız evlatlar nankördür, artık öğrendik. Saygısızlığımızın uçları etinizi kanatacak kadar keskin. Kibirliyiz, akılsızız, küstahız. Kabul ediyorum, bu sabah derimin esnekliğini test etmek için gözlerimin çevresindeki deriyi çekiştirdim ve en beyaz elbisemi –sirkeyle ağartılmış, eteği ufak delik-lerle süslü– giydim.

"Kızlarım asla erkeklerden biriyle yalnız kalmaya-cak," diye okuyor annemiz, defterinden. "Hiçbir erkek kızlarımın odalarına yaklaşmayacak. Ben izin vermedi-ğim sürece, hiçbir erkek kızlarıma dokunmayacak."

İzin vermesi için ne olması gerekir acaba? Bunu merak ediyorum, kızkardeşlerimin de aynı şeyi merak ettiğini hissediyorum. Belki boğuluyorsak izin verir. Bo-ğazlarımıza ekmek parçası, balık kılçığı takılsa izin verir belki. Dile getirilemez hasara uğramadan önce beden-lerimizin ne kadar dayanabileceğini anlamak için defte-rin kenarlarına yapılmış hesap işlemlerini, formülleri hayal ediyorum. Sağ elimin üstündeki yara kabuğunu görüp endişeleniyorum, kabuğun nasıl olduğunu hatır-lamıyorum. Pencerelerden içeri dolan taze, saklanma-nın mümkün olmadığı aydınlıkta James'in gözlerinin çevresindeki kırışıklıkları, Gwil'in yüzünün silinmekte olan bebeksi tombulluğunu daha net görüyorum. Llew kollarını kavuşturmuş, sandalyesinde arkaya yaslanıyor. Bedenini dikkatle inceleyince hem midem bulanıyor, hem coşku duyuyorum. Karşısında ayağa kalkmak zo-runda kalırsam yere yığılıp kendimi ele vereceğimi fark ediyorum.

Annemiz Kral'ın tabancasını masanın altından çıka-rıyor, masa örtüsüne bırakıyor.

"Kızlarıma dokunacak olursanız sizi öldürmek zo-runda kalırım," diyor annemiz. Söylediklerinden haz alı-yor, hiç pişmanlık duymuyor.

"Peki," diyor James. "Anlıyoruz." Ellerinden birini Gwil'in omzuna koyuyor, Llew'e bakıyor.

"Gayet net anlaşıldı," diyor Llew, gülümseyerek önce annemize, sonra geri kalanımıza bakıyor.

Annemiz ellerini kavuşturuyor. "Bu konuyu halletiğimize göre işimize bakalım. Kızlar, size ihtiyacım var. Benimle gelin."

Erkekler içeride kalıyor, bizler annemizin peşinden iskeleye gidiyoruz. Hava kupkuru, durgun deniz sularından yansıyan azgın güneş ışığı bütün nemi kavurup yok etmiş. Alnım, ensem hemen terliyor. İskelenin uzak ucuna ulaşınca, annemiz tabancayı havaya kaldırıyor. Ayaklarımızın altındaki suyun ritmiyle sallanıyoruz.

"Bunu hatırlıyorsunuz," diyor bize. "Artık kullanmayı öğrenmenizin zamanı geldi." Cebine uzanıyor. "Bu bir mermi. Bakın." Tabancayı açıyor, mermiyi içine koyuyor, yeniden kapatıyor.

Dönüyor, tabancayı denize doğru çeviriyor, rasgele doğrultuyor. Büyük bir patlama annemizi hafifçe geriye doğru sarsıyor, tabancadan bir duman sütunu yükseliyor, Sky uzanıp Grace'e sarılıyor. Başka bir şey olmuyor.

"Birine ateş ederseniz, hemen ölür," diye açıklıyor annemiz, sakin. "Birini öldürmenin en etkili yoludur bu. Başına veya göğsüne nişan alın." Omzunu ovalıyor.

Annemiz silahı hepimizin, hatta Sky'ın bile denemesini istiyor. Ateş edince ahşap iskeleye devrilen Sky birazcık ağlıyor. Kolumu sabit tutmaya, bakışlarımı ateş ettiğim yönden ayırmamaya çalışıyorum, tahminimden çok daha güçlü bir sarsıntı bütün bedenimde dolaştığında bile. Sessizleşiyoruz, silahın sesinden sonra başka bir ses duymayı umuyoruz fakat hiçbir şey duyulmuyor.

İskeleden ayrılmak için arkamızı döndüğümüzde, erkeklerin sanki sesi duyunca koşmuş gibi sahilde bizi seyrettiğini görüyoruz. Uzakta ancak zarar görmemiş olduğumuzu anladıklarında, yüzlerinde rahatlamaya benzer bir ifade beliriyor.

Daha sonra tek başıma sandalla açılıyorum. Ahşap

sandalın altından köpekbalıklarının sesi gelmiyor. Benimle, acılaşmış kalbimle ve kemiklerimle ilgilenmiyorlar. Babamı öldürdülerse eti onları hasta etmiştir umarım. Çamurlu yosun, ıslak saç gibi suyun yüzeyinde geziniyor. Sahilden yeterince uzaklaşınca tenimi tahtadan çıkan çiviye sürtüyorum, baktığım sırada silinen kırmızı bir çizgi kalıyor geriye. Kral beni bir keresinde tetanos konusunda uyarmıştı, pasın kana hastalık bulaştırdığını söylemişti. İhtiyaç duyduğum şeyi yapmanın yolu bu değil.

Onun yerine, avucumu ahşaptaki metal bir ek yerine yaslıyorum, çelik parça güneş ışığını iyice emmiş. Bu daha iyi, ama yeterli değil. Bir ağ dolusu çırpınan gümüşbalığını denizden çekip sandalın dibinde ölmeye bırakıyorum, umutsuzca nefes almaya çalışmalarını seyrediyorum. Sonunda kımıltısız kalıyorlar. *Ne hissettiğinizi biliyorum*, diyorum onlara.

Dünyamız çalkantılı denizlerin üstündeki nemli havadan, teorik ve ölümcül girdaplardan, kötülük habercisi gövdeleriyle mavi gökyüzünü biçen kuşlardan oluşuyor. Ormanın karanlık frizi görüş alanımızı çevreliyor; meşelerden ve sahil çamlardan, güven veren bir set oluşturuyor. Dökülen kırmızı ağaç kabuğundan kesiği şeritleri tutmam için bana veren Kral öğretmişti ağaç isimlerini birer birer. Hepsinin ortasında evimiz var, uzaktan bana bakıyor şimdi, bir pasta kadar büyük ve beyaz. Buradan bakınca insanı kurtaracak, en azından geçici bir süre için sığınılabilecek bir yere benziyor.

Pek çok kadın bu umuda bel bağlayıp bu evin yataklarındaki beyaz keten örtülere uzandı, güneşe ve havaya karşı panjurları kapadı, dinlendi. Onlarsız geçen yıllar uzadı da uzadı. Yumuşak kadın seslerinin teskin eden tonu, salonun açık pencerelerinden içeri dolan serin esintiler, parkelerin üstünde koşturan ayakların patırtısı, bir konuşmayı, bir terapiyi izlemek için balo salonunun ortasına çekilen sandalyeler geliyor aklıma. Buraya daha önce hiç erkek gelmedi. Erkekler sunduğumuz şeye ihtiyaç duymuyordu.

Sahile dönünce ayaklarını ıslatmamaya özen göstererek sığ suları araştıran oğlanı görüyorum. Kuma bir sopa saplıyor, bir şey arar gibi düzenli aralıklarla yapıyor bunu. Bilekleri incecik, ağzı sımsıkı kapalı. Ondan uzak duruyorum, ayağımla sahildeki taşları ters çeviriyorum, sonunda bir şey çekiyor dikkatimi; pürüzsüz, yeşil bir mücevher veya cam parçası, yüzeyi zamanla buğulanmış. Avucuma tam oturuyor, onu cebime atıyorum çünkü sevilmeye layık olmayanlar bile bir şeyleri hak eder ve bana sunulan hiçbir armağanı geri çevirmem ben.

Sahilin biraz daha yukarısında ölü bir kuş buluyorum, siyah tüylerinin arasında yeşiller var. Onu sinekler yüzünden fark ediyorum, vızıltılarını duyuyorum, çevresinde uçuştuklarını görüyorum. Kuş tam gelgit hattında, onu deniz mi getirdi yoksa gökyüzümüzde mi öldü anlamak mümkün değil. Bir süre uzaktan bakıp sonunda boynumdaki düdüğü çalmaya karar veriyorum. Annemiz ve kızkardeşlerim hemen geliyorlar, kapıdan fırlayıp mavi beyaz giysileri içinde yanıma koşuyorlar. Elimi onlara doğru kaldırıyorum.

"Bir kuş ölüsü," diye sesleniyorum. "Ölü."

"Hemen uzaklaş ondan!" diye sesleniyor annemiz. Bir daha söylemesine gerek yok; hemen geri çekiliyorum. Geniş bir çember oluşturup kuşun etrafına diziliyoruz. "Tuzu getir, Lia."

Koşup eve girdiğimde Llew mutfakta, paslanmaz çelik tezgâha yaslanmış, avuç avuç mısır gevreği yiyor. Sağ elini kutuya daldırıyor, avucunu ağzına götürüp başını arkaya atıyor. O mısır gevreğini kutusuyla çöpe atmaya karar veriyorum.

"Ne yapıyorsun?" diye soruyor dolu ağzıyla. Balık ağını masanın üstüne atıp, lavabonun altındaki tuz kavanozunu almak için diz çöküyorum. Mısır gevreği kutusunu bırakıyor, bakışlarını üzerimden ayırmıyor. "Bir şey yapmıyorum," diyorum. Ona göre bir konu değil bu. Mutfaktan yürüyerek çıkıyorum ama beni görmeyeceğinden emin olduğum anda koşmaya başlıyorum. Ayaklarımın altındaki çakıllar tıkırdıyor. Tenim yanıyor.

Dalgaların kıyıya taşıdığı odunları, taşları ve tahtaları toplamış annemiz. Kardeşlerim ve o bunları kuş leşinin üstüne yerleştiriyorlar. Gwil sopası elinde, olanları uzaktan seyrediyor ama ona aldırmıyoruz.

"Tuz," diye buyuruyor annemiz. Kavanozun kapağını açıyorum, annemiz ellerini kavanoza daldırıyor, avuçlarına tuz dolduruyor. Sky ağlayacak gibi görünüyor, Grace sıkılmışa benziyor. Onlar da avuçlarına tuz dolduruyor. Tuzu odunların üstüne serpiyorlar, ben de aynısını yapıyorum. Annemiz cebinden bir kibrit kutusu çıkarıp tahtaları tutuşturuyor. Alevleri görünce geri çekiliyoruz. İnce bir duman havaya yükseliyor.

"Ah kızlar," diyor annemiz, kurumuş yosunların ve odunların yanışını seyrederken. Sesinde derin bir yas var. "İyiye işaret değil bu."

Bakışları bir an için yüzüme kayınca suçluluğun limoni, ekşi tadı geliyor ağzıma. O bakışın ne anlama geldiğini biliyorum.

Erkekler ceset gibi havuzun kenarında yatarken boğulma oyununu oynamak istemiyorum, o yüzden odama gidip kapıyı kapatıyorum. Yatağımın diğer tarafına, kapıya en uzak duvarın yanına, halıya oturuyorum. Burada kimse beni göremez. Komodinin çekmecesini açıp keskin bir kuvars, çakmaktaşı, annemizin ve Kral'ın banyo dolabından çaldığım tıraş bıçaklarını çıkarıyorum. Jiletlerden birini seçiyorum ama Kral'ın anakaraya yaptığı ziyaretler olmadan jiletsiz kalacağımdan endişeleniyorum aslında. Başka şeylerin de eksikliğini hissediyoruz. Sabunlarımı küçük bir bıçakla dörde kesip kullanıyorum. Sadece tuzumuz, güneşin altında kurumaya bıraktığımız leğenler dolusu deniz suyundan elde ettiğimiz tuz bitmeyecek.

Bacaklarımı öne uzatıyor, eteğimi dizlerimin üstüne çekiyorum. Halının helezonlar çizen, bir ormanı andırması gereken deseni midemi bulandırıyor. Derim kızarıyor ama kesilmiyor. Sonraki denememde deriyi kesiyorum, açığım çiziğin üstünde boncuk boncuk kırmızı kan beliriyor. Bir santim, iki, üç.

Bedenimin zarar görecek türde bir beden olduğunu söylemişti Kral, başka bir yerde uzun süre dayanmayacak türde bir beden. Aslında duygularımı kastediyordu; göğsümden toksik sularda bir deniz yaratığının duyargaları gibi küstahça, dönerek çıkan işe yaramaz duygularımı. Kızkardeşlerim tenimdeki yaraları görmekten hoşlanmıyor, sargı bezlerini görünce bakışlarını kaçırıyorlar fakat bunun kaçınılmaz olduğunu anlıyorlar. Hatırlatılmamasını tercih ederler yalnızca.

Banyoda yaralarımı özenle yıkıyorum. Banyo küvetine akıp dönerek giderde kaybolan taze kan biraz sonra kesiliyor. Yaramı sarıyor, aynadaki yansımama bakıyorum.

Her şeyi kaldırıp pencerenin yanına gidiyorum. Perdeyi biraz aralayınca suyun kenarında yatan erkek bedenlerini başka açıdan görebiliyorum. Gökyüzünden düşmüş beyaz taşlar gibiler, düştükleri yerde kalmışlar, göğüslerini ve kollarıyla bacaklarını sarmaşıkları andıran kıllar kaplamış. Benden uzaktalar ama başlarını çevirdiklerini görünce geri çekiliyorum. Onları izlediğimi görmelerini istemiyorum. Onun yerine açık denize bakıp suların ne kadar kabardığını anlamaya çalışıyor, suların

95

üstündeki bulut örtüsünün kıvrımlarını seyrediyorum. Sahilde bıraktığımız külleri görmeye çalışıyorum ama çok uzaktayım ve artık sorun olmaktan çıktı. Acil durumla baş ettik. Gerekli önlemleri aldık.

*Ev arkadaşlarım, benden daha gün görmüş kızlar bazen odalarına erkekleri getirirlerdi ama bunu neden yaptıklarını anlayamazdım; tedbirsizlikten mi, koruyucu aşı niyetine mi yoksa ikisi birden mi, bilemezdim. Öyle günlerde kapımın altına bir havlu yerleştirir, leğene kaynar su doldurur ve sıcak suyun buharını içime çekerdim.*

Ertesi sabah, dişi düzende ufak tefek bozukluklar fark ediyoruz. Algılaması zor çarpıklıklar, bir şeyleri yapmanın yeni yolları. Kendi yaptıkları silahlarla, ormanda buldukları sopalara bağladıkları bıçaklarla sığ sularda avlanan erkekler, dizlerini yalayan dalgalar. Grace onların varlığıyla barışmış değil henüz. Şezlonglarda erkekleri seyrederken umutla, "Bir köpekbalığı gelip onları öldürse ne heyecanlı olurdu," diyor.

İçimde bir şey, büyük ölçekli bir şey, ona karşı çıkmak istiyor. Gwil'i kollarının altından tutup havaya kaldıran, haykırana kadar havada döndüren Llew'ü seyrediyorum. Çocuğu sığ sulara bırakıp saçlarını şöyle bir karıştırıyor, geride durmasını işaret ediyor. Bana iyi bir işaret gibi geliyor bu; sevginin böyle açıkça, art niyetsiz sergilenişini görmek şaşırtıcı ve güzel. Alt kattaki banyonun loş mavi ışığında biraz ağlamak için içeri giriyorum, ağlarken sesim duyulmasın diye küf kokulu el havlusunu yüzüme bastırıyorum. Kırmızı gözlerle yanına döndüğümde Grace ne yaptığımı anlıyor ama bir şey demiyor. Başını çeviriyor.

Kral, mızraklardan daha az belirgin silahları tercih ederdi. Tuzaklar, ilmekler ve manevralar konusunda uzmandı. Aleni şiddetin nahoş olduğuna inanırdı. Açıktan şiddet bela aramak gibi bir şeydi, ortalığı karıştırırdı. Sonunda adamlar bir sepeti ışıldayan balıklarla doldurup annemize götürüyorlar, o da balıkları pişiriyor, o kadar. Tatları nefis. Acıdan kıvranarak öldüklerini anlamak olanaksız.

Gün ortasında, güneş tepedeyken çimenlerde egzersiz yapıyoruz ki annemiz terlediğimizi görebilsin. Bedenimden su gibi ter akıyor. Çalımlar atarak yere yuvarlanıyor, kedi gibi geriniyor, Sky'ı kollarının altından yakalamak için kollarımı uzatıyor, sonra nazikçe, yavaşça yere indiriyorum. Eve dönüp bakınca karanlık pencerelerden birinde bir hareket görüyorum, dikkatle pencereye bakarken bacağımı arkamda havaya kaldırıp ayak bileğimi yakalıyorum. Penceredeki Llew, bizi izliyor. Yanılmama imkân yok. Ona baktığımı görünce donup kalıyor ama saklanmıyor. Annemizin dikkatini çekmemek için ona arkamı dönüyorum, yeniden suç ortaklığı yapıyorum.

"Şınav çekin," diyor annemiz. Yere yatıyoruz, kollarımızın gücünü test ediyoruz. En çok şınavı ben çekiyorum, kızkardeşlerim yerde inleyip homurdanırken on, yirmi, otuz, daha fazla şınav çekebiliyorum. Bunları ona bedenimle ilgili bir şeyler anlatmak için yapıyorum ama dönüp pençereye baktığımda artık orada değil.

Erkekler başka zamanlarda da seyrediyor bizi. Sofrada bir yandan lokmalarını çiğniyor, bir yandan bize bakıyor, yiyecekleri ağızlarının içinde çeviriyorlar. Fırsat bulsalar bizi de yerler belki. Bu aç görünümlü adamlar söz konusuyken her şey olabilir. İştahım giderek kapanıyor, midemdeki sinirler bükülüyor. Akşamları dikiş dikerken ellerimizi seyrediyorlar. Kral artık muskalarımızı satamayacak ama onları yapmaya devam ediyoruz çünkü başka ne yapacağız ki? Annemiz adamların bizi seyrettiğini görünce başlarını çevirene kadar dik dik onlara bakıyor. Bu numarayı öğrenemedim ben; bakışlarım hemen başka yerlere dönüyor. Llew sık sık gülümsüyor. Onun yumuşak bir yanı var, bunu biliyorum.

Bedenim, o zamana dek yalnızca kanayan bir şeydi. Geniş acı stokları olan bir şey. Her zaman anlamadığım tuhaf bir enstrüman. Fakat bakışmayla tetiklenen bir şey harekete geçiyor içimde. Bir tür güdü olduğunu sanıyorum bunun, önüne *hayatta kalma* sözcüklerini eklemeye değer bir güdü olup olmadığından emin değilim henüz.

*Ya şimdi ya hiç,* diyorum aynadaki yansımama, üzerimde Sky'ın dolabından bulup çıkardığım, dizüstü, çok dar bir elbise var. Erkekler yaklaştığımı fark etsin diye yavaş yavaş yürüyerek havuzun kenarına gidiyorum, bir şey deneyeceğim.

Şezlonga ulaşınca yüzüstü uzanıyor, gözlüğümün üzerinden, ışıldayan suyun öbür tarafında Llew'ün uzandığı yere kaçamak bakışlar atıyorum. Onu seyrettiğimi görünce güneş gözlüğünü kaldırıp bana göz kırpıyor, sonra gözlüğünü indiriyor yeniden. Yüzümü kollarıma gömüyorum. Annemiz şezlongunu havuzun başına, cankurtaran sandalyesinin yanına kurmuş; cankurtaran sandalyesine de oturabilirdi ama o kadarını yapmamış artık. Oturduğu yerden havuzun iki kenarını görebiliyor, hem erkekleri hem kadınları. Başına zarif bir eşarp bağlamış, tenine güneş yağı sürmüş.

Müthiş final: Doğrulup oturuyorum, elbiseyi başımın üstünden sıyırıp birkaç saniye mayomla dikiliyorum, ormanın üstündeki gökyüzünü inceliyor gibi yapıyorum. Kalbim küt küt atıyor, birinin ne yaptığımı fark etmesini, bir şeyin beni yere devirmesini bekliyorum ve sinirlerim bozuluyor, bodoslama suya atlıyorum. Sessizlik aniden bozulunca Sky çığlığı basıyor, Grace onu yatıştırmak için yanına gidiyor, suyun yüzeyine çıktığımda sıkı sıkı sarılmış, ters ters bana bakıyorlar.

Akşam yemeğinden sonra, alacakaranlıkta her zamanki gibi sahilde sınır hatlarına tuz dökerken annemiz beni kızkardeşlerimin önünde tokatlıyor. Önce elinin tersiyle vuruyor, parmaklarındaki yüzükler kulağıma çarpıyor, sonra avucuyla sağlam bir tokat yapıştırıyor yanağıma. Ona karşılık vermek için yumruklarımı havaya kaldırıyor, var gücümle haykırıyorum ama kızkardeşlerim hemen yüzümü yakalıyor, ağzımı kapatıyorlar.

"Dokunmak yok demiştin!" diye bağırıyorum. "Göz teması hakkında bir şey söylemedin. Başka nelere bakmam yasak?"

"Olay çıkarma," diyor annemiz, sanki az önce bana vuran kendisi değilmiş gibi. "Benimle gelin."

Eve doğru yürümeye başlıyor ama sonra sahile, nemli kumlara oturuyor ve yanına oturmamızı işaret ediyor. Ellerimizi tutuyor, benim elimi bile tutuyor ama avucunu Sky'la paylaşmak zorundayım, elim kardeşimin elinin üstünde sonradan akla gelmiş bir şey gibi duruyor. Evin ışıkları ve havuz az ileride parıldıyor.

"Genç bir kadın olmak nasıl bir şeydir biliyorum," diyor bize. "Sizi neler mahvedebilir biliyorum."

Konuyu biraz daha açmasını bekliyoruz.

"Hissettikleriniz doğal," diyor, bu kez özellikle bana. "Bakmak istemeniz doğal."

Grace gülüyor, kısa bir kahkaha atıyor.

"Kes şunu Grace," diyor annemiz ona. Ellerimizi daha sıkı tutuyor. Erkekler içeride bir yerdeler, neredeler bilmiyorum. Koridorlarımızda, havamızı soluyorlar. Mobilyalarımızda oturuyor, izlerini bırakıyorlar.

"Sevgi terapisi lazım size," diyor annemiz. Ellerimizi

bırakıyor. "Ziyaretçi Defteri'ni Grace'in odasına bıraktım. Saat dolunca gelip kapınızı tıklatırım."

Annemiz Grace'in odasına defterle birlikte örtüler bırakmış; katlanmış örtüleri açınca ince ve ipeksi kumaşların kare şeklinde ve çok büyük olduğunu görüyoruz. "Bunlar bedeninizi örtmeniz için," yazıyor bıraktığı notta. "Güneşlenirken bunları giyin." Kızkardeşlerim sızlanıyorlar ve haklılar, olanlar kesinlikle benim suçum. Örtüleri denemek için yere uzanıyoruz. Bedenimizi başımızdan ayak parmaklarımıza kadar kapatıyorlar. Üstümdeki örtüyü çekip atıyorum sonunda, klostrofobik hissediyorum. Grace ve Sky kozaları andırıyorlar, hayatta olduklarını nefes alıp verişlerinden, aniden seğiren uzuvlarından anlıyorum.

Örtülerden sıkılınca yatağa oturuyoruz, Ziyaretçi Defteri'ndeki açıklamaları birer birer, kederle okumaya başlıyor Grace. Erkeklerin kadınlara nasıl zarar verdiğini anlatan tanıklıklar. Eski dünyayı anlatan tanıklıklar. Hepsini daha önce pek çok kez okuduk ama yazılanları dinlerken, kehanetlerinin huzursuzluğu ve ciddiyeti karşısında hâlâ gözlerimi kapatıyorum. Sky kıpırdanıp duruyor, bedenini rahat ettirmeye çalışıyor ama okunanları dinlemenin rahat bir yolu yok. Kadınlardan bazılarının bize geldiklerinde nasıl göründüklerini hatırlayınca ürperiyoruz. Kan kaybetmişler gibi, derileri gevşek. Gözleri istemsiz sulanıyor, saçları seyrelmiş.

Kocama alerjik tepkiler vermeye başladım. Beni hasta ettiğini kabul etmedi. Uydurduğumu, bunun mümkün olmadığını söyledi, kan tükürmeye başladığımda, saçlarım küvet giderini tıkadığında bile kabul etmedi durumu. Bütün gece bana sarılıyordu, şafak vakti bana dokunduğu yerlerdeki derim sertleşiyor, kızarıyordu. Geri kalan yerlerim de öyle. Beni rahat bırak, diye yalvarıyordum ona, yapmasan olmaz mı? Bana steroid krem ve gaz maskesi getirdi ama işe yaramıyordu, her sabah nefesim tıkanarak uyanıyordum.

"Korkunç!" diyor Grace, beş-altı yazı daha okuduktan sonra. Bir an gözlerini yumuyor, derin derin, uzun uzun nefes alıp veriyor. Bu beklenmedik tepkisi beni sarsıyor, söylediklerinden çok tepkisi etkiliyor beni. Ziyaretçi Defteri beni fazla korkutmayacak kadar soyut fakat kadınlar ve çektikleri acılar için üzgünüm yine de, içten içe bu acının ait olduğum geleneğin parçası olduğunun da farkındayım.

Sonra, erkekler hakkındaki ilk izlenimlerimizi paylaşıyoruz. *Gürültücüler. Yağlılar.* Grace tiksintiyle yüzünü buruşturuyor. Onları Kral'la karşılaştırıyoruz, referans noktamız da, güvenilir erkek kıstasımız da o. Hepsi ondan daha kısa, diyorum. Olumlu bir şey, değil mi? Bedenleri daha az hava tüketiyor. Şakaklarındaki saçlar terden ıslak hep. Llew kolunu benim koluma yaklaştırınca hissettiklerimden, ellerini piyano tuşlarında rahatça dolaştırışından söz etmiyorum ama düşünüyorum, düşünüyor ve kendimden iğreniyorum. Sky onları *arkadaş canlısı* bulduğunu söyleyince Grace sinirleniyor.

"İstediğin bir şey varsa arkadaş canlısı olmak kolaydır," diyor ona. "Boğazını keserken o kadar arkadaş canlısı gelecekler mi bakalım?"

"Grace," diye itiraz ediyoruz. "Öyle bir şey yapmazlar." Grace ellerini havaya kaldırıyor, ikimize de bakmıyor.

Annemiz bizi affettiğinde elini alınlarımıza koyup ateşimizi ölçüyor, şimdilik iyi olduğumuzu söylüyor; gidip uzun bir duş alıyorum. İki elimle saçlarımı sabunluyorum, kendimi cezalandırmak için köpüklerin gözlerime dolmasına izin veriyorum. İnce bir havluyla bedenimi kurulayıp bacaklarıma Grace'in aylar önce verdiği vanilya kokulu kremi sürüyorum, Kral bu kremi son yolculuğunda getirmişti. Grace istememişti kremi. Benim isteyeceğimi biliyordu. *Neden umursuyorsun?* diye soruyorum kendime. Son aylarda, Grace uzun saatler boyunca kendini odasına kapatmaya, her an başka bir ruh haline girmeye başladığından beri ben de kendi kendime konuşmak gibi kötü bir alışkanlık edindim.

Tehlikeleri yeniden hatırladığımız için annemiz erkeklerin bizimle lobide oturmasına izin veriyor artık. Kızkardeşlerimle birlikte hüzünle kanepede oturuyoruz, Sky, Grace'in kucağına uzanıyor, ben de kenarda bir dizimi göğsüme çekmiş dikiş diker gibi yapıyorum. Biri bana baktığında özensizce saplıyorum iğneyi kumaşa. Aslında Llew'le Gwil'i seyrediyorum yine. Kâğıt oynuyorlar, elleri öyle hızlı hareket ediyor ki masaya koydukları kağıtlar bulanıklaşıyor. Çocuk kazanınca gülüyor, babası oğlunun koluna hafifçe yumruk atıyor. Yumuşakça, nazikçe. *Baba*, diye düşünüp kederleniyorum bir an, yumruklarımı sıkıyorum, nakışım yere düşüyor.

Sevgi terapisi hiç etkili olmadı bende. Llew bir bardak suyu ağzına götürüyor, alnına düşen siyah bir saç tutamını geriye itiyor. Bir an gözlerini yumup yutkunuyor. Ben de gözlerimi kapatıyorum. Annemiz ve Grace bebek için çizgili giysiler örüyorlar, Sky parmaklarına geçirip oynadığı kırmızı bir ipliği dişleriyle, parmaklarıyla çekiştiriyor. En azından kızkardeşlerim huzurlu.

Llew odadan çıkınca halsiz düşüyorum. Banyoya gidip yüzüme biraz su çarpıyorum. *Aptal*, diyorum kendi kendime. *İşe yaramaz.* Fakat dışarı çıktığımda banyonun önündeki koridorda, ardına kadar açık pencereden eğilmiş dışarı bakıyor. Alevleri sönen gökyüzünün önünde çamların sisli tepeleri görünüyor.

Her şeye rağmen bazen aşkın bana geleceğine, beni bir yerde bulacağına inanmaya cüret etmiştim. Okyanustan veya gökten gelecekti. Üzerlerine harfler kazınmış, nadir bulunan plastik parçaları gibi sahile vuracaktı veya tekneyle denize açılıp sınıra kadar gidecek ve onu nefesimle içime çekecektim. Hep umutlu biriydim. Grace benim acı verecek kadar iyimser olduğumu söylemişti bir keresinde. Hakaret ettiğini sanıyordu.

Llew beni gördüğüne şaşırmıyor. Elini kaldırıp selamlıyor, kenara çekilip pencerenin önünde bana yer açıyor. Onunla birlikte pervaza yaslanıp aşağı sarkıyorum. Bana dağları soruyor. Alçak bulutların arasında, ormanın ötesinde kalan uzak dağlar zar zor seçiliyor. Neden söz edeceğimi, hangi sözcüklerin onun ilgisini çekeceğini bilmiyorum. Dağlara yolculuk edebilir miyiz diye soruyor ama dağlarda insan öldüren hayvanlar yaşıyor ve oraya gitmenin yolu yok, dolayısıyla ona bu konuda söz veremiyorum, ona verebilecek hiçbir şeyim yok.

"Annen bize oldukça zalim davrandı," diyor Llew bana. "Ama sen bizden rahatsız değilsin, değil mi?" Kollarını kaldırıp geriniyor. "Her açıdan iyi biri olduğunu anlayabiliyorum senin."

Bir keresinde bir kurt az kalsın ulaşıyordu bize. Kral onun gırtlağını kesmiş, postunu diğer kurtlara ibret olsun diye ormana asmıştı. Havada donup kalmış kocaman bir yırtıcı kuşa benziyordu asılı kurt postu. Altı kırmızı kadifedendi, üstü kahverengiydi. Kral çürüyene kadar orada bıraktı postu, sonra ipini kesip indirdi.

Kızkardeşlerimin sesi koridordan kulağıma ulaşıyor, konuşuyorlar, herhalde didişiyorlar. Sesleri bir serzeniş. Onların yanında olmam, sürüden ayrılmamam gerekir, bir arada duran bedenlerimiz, şahitliğimiz bir tür savunma çünkü. Adam bedenini benimkine yaklaştırınca ben de ona yaklaşıyorum, neden olmasın, neden olmasın, kendime engel olamıyorum. Derisinden yükselen ısı ve kokusu.

Llew dönüp bana bakıyor. Yüzünün yarısı gölgede, ağzı görünmüyor.

"Çok güzelsin, biliyor musun," diyor.

Boğazıma bir şey doluyor. Yüzüme uzanıyor, saçımı kulağımın arkasına atıyor, başka bir şey söylemeden dönüp koridordan lobiye doğru yürümeye başlıyor.

Bir bardak su doldurup karanlık mutfakta içiyorum, ayın önünden geçen bulutları seyrediyorum, sonra dışarı, bahçeye çıkıp sahile gidiyorum. Ayaklarımın altında kumu hissedene kadar durmuyorum, yere çöküyorum, kök salmak ister gibi ellerimi kuma gömüyorum. Sular ışıltılı ve durgun, dalgaların sahile vurduğu yerde köpükler belirip kayboluyor. Llew'ün peşimden gelmesini istiyorum ama olanaksız bu.

Bir keresinde bir tavşan yavrusunu ayakkabı kutusuna koyup haftalar boyunca yatağımın altında saklamıştım. Onu çok seviyordum ama annemiz bir sabah temizlik yaparken bulmuştu tavşanımı. Kral onu alıp bahçeye götürüp ayağıyla ezerek öldürmüş, sonra da gökyüzü yukarıda terlerken yüzümü toprağa bastırmıştı.

Sonuçta bir erkek olan babamız, son çare olarak şiddete başvururdu. Sevgi düşkünlüğüm ailemizi tehlikeye attığında bile. O kişi olmak korkunç bir şeydir. Annemiz ısıtılmış, kıpkırmızı bir tava içindeki tuzla odamı tütsülemek zorunda kalmıştı. Anahtar deliğinden seyretmiştim onu; görkemli beyaz giysileri içinde odayı köşe bucak nasıl dolaştığını bugün bile zihnimde canlandırabiliyorum.

*Birbirimizi korumak için elimizden geleni yaptık – ek-siklerimiz vardı elbet ama tüm kalbimizle çabaladık. Baş-ka kim deneyecekti bizim için? Kadınlarımızdan, annelerimiz, kızlarımız ve kızkardeşlerimizden başka kim yatacaktı toprağa? Bunu yapmayacak kadar gururlu değildik.*

Uyandığımda, bedenim kederden işe yaramaz halde. Sonunda yataktan çıkıp kızaran gözlerimi yatıştırmak için yüzüme soğuk su çarpıyorum ki annemiz beni buz kovasını kullanmak zorunda bırakmasın, erkeklerin önünde küçük düşürmesin. Dişlerimi fırçaladıktan sonra ağzıma bir tülbent tıkıp hızlı ve derin nefesler alıyorum, sonra tülbenti küvetime doldurduğum on santim soğuk suya yatırıyorum, yerdeki karoların üzerine uzanıp suyu güvenle boşaltıyorum, loş şafak ışığı pencereden girip bedenimi aydınlatıyor.

İyi ol, iyi ol, iyi ol. Bedenimle hesaplaşıyorum. *Lütfen, bir saniye için*, diye yalvarıyorum duygularıma, öylece yatıp dinmelerini beklerken.

"Erkekler av giysileri giyerdi," diye yazdığını hatırlıyorum Ziyaretçi Defteri'nde. "Erkekler evlerinin kilerlerine silah yığar, geyiklere ateş edip antrenman yaparlardı. Kasabamın erkekleri, ailemin erkekleri. Hepsi babaydı. İyi erkekleri kötü olanlardan ayırt edemezdiniz."

"Demek ki bazıları iyiydi!" diyorum boşluğa, zaferle.

Aşağı indiğimde annemiz yemek odasında tek başına beni bekliyor, masada kahvaltıdan kalanlar duruyor, annemiz pencereden dışarı bakıyor. Ondan biraz korkuyorum, çalkantılı bir ruh halini atlattığım belli oluyor-

111

dur kesin fakat benden saçını boyamamı istiyor yalnızca. Birbirinin eşi, lekeli, gri tişörtlerimizi giyip odasında, pencerenin altına dizilmiş duran boya kutularının yanına gidiyoruz. "Bitmek üzere," diyor, aslında kendi kendine. "Belki kahve telvesiyle boyamayı denerim gelecek sefere." Küvetin yanında diz çöküyor, dizlerindeki baskıyı hissedince yüzünü buruşturuyor. Ayaklarının tabanlarına kir oturmuş. Kutunun üstündeki kadının yanağına dokunuyorum, kutuların içindeki sıvıları karıştırıyorum. Boyayı çıplak elime sıkıyorum, çıkan sıvı jölemsi ve siyah. Annemizden yeni bir söylev dinlemeye hazırlanıyorum fakat boyayı masaj yaparak kafa derisine yedirmeye başladığımda yalnızca içini çekmekle yetiniyor. Duş başlığıyla boyayı yıkadığım sırada şikâyet etmeden iyice uzatıyor boynunu, omurgasını sergileyerek akan suyun berraklaşmasını bekliyor. O anda benim için kıymetli olmaktan çok narin görünüyor. O da birilerinin kızıydı bir zamanlar. Belki de bana bunu anımsatmaya çalışıyor. Kırılabilir bir şey gibi uzattığı boynu, incinebilir kadınlar olduğumuzu hatırlatıyor. Bu kez erkeklerle ilgili bir şey söylemiyor.

Sonra terasa çıkıyorum, Grace'in orada olduğunu görüyorum. Yanına oturduğum zaman kımıldanıyor ama bir şey söylemiyor. Güneş gözlüğümü takıyorum, çıplak bacaklarımı gövdeme doğru çekiyorum. Başımı eğip bakınca, avuçlarım ve tırnaklarımın boya lekeleriyle kaplandığını görüyorum. Ellerimi fırçayla iyice temizleyene kadar bugün, yarın, her kullanışımda annemiz gelecek aklıma.

"Nasıl hissediyorsun?" diye soruyor sonunda. Bir tabağa yarımay şeklinde dizdiği krakerleri yiyor ama bana ikram etmiyor.

"İyiyim," diyorum.

"Hasta değil misin?" diye soruyor. Diline yarım kraker yerleştirip çiğnemeden öylece tutuyor onu orada. "Üzerine soludular sonuçta."

"Senin de," diye hatırlatıyorum.

"Doğru değil," diyor. "Konuştukları zaman onlardan uzak durmaya özen gösterdim ben. Çok zor olmadı."

"İyi hissediyorum ben," diyorum. "Hiç olmadığım kadar iyiyim." Elimi nazikçe alnıma koyuyorum. Her zamankinden biraz daha sıcak alnım, hafif ateşim var belki.

"İşi şansa bırakamayız," diyor, krakeri yutunca. "Gitmelerini istiyorum." Karnına dokunuyor. "Onlara ihtiyacımız yok."

"Onları bulmaya ne zaman gelecekler sence?" diye soruyorum.

Omuz silkiyor. "Belki de kimse gelmeyecek onları bulmaya," diyor. "Buraya kendi isteğiyle kim gelir ki?" Sesi biraz sert çıkıyor.

Onları bulmaya gelenler başka erkekler mi olacak acaba, gölgelere bürünmüş tekneler içinde mi gelecekler? Bunu sormak istiyorum ona ama fazla heyecanlıyım, korkuyorum.

Görüşüm bulanana dek gökyüzüne bakıyorum, başka bir kuş görüyorum. İzi solmuş artık; çok uzakta, gökyüzünde keskin bir parıltıdan ibaret.

"Grace," diye fısıldıyorum.

"Şimdi ne var?" dediği zaman tuhaf kuşun gökyüzünde bıraktığı izi işaret ediyorum. Doğrulup oturuyor, görünmez olana kadar seyrediyor kuşu.

"Evet," diyor.

"Annemize haber vermeliyiz," diyorum.

"Sonra veririz," diyor. "Şu an sorun yok." Şimdi bana nazik davranıyor ve bu daha da çok yakıyor canımı. Şezlongunu tamamen yatırıp sırtüstü uzanıyor, tabağı bacaklarının üstüne, şiş karnının altına koyuyor. Aniden kımıldarsa tabak düşüp kırılacak ama onu alıp masanın üstüne koymuyorum, Grace derin derin nefes aldıkça inip kalkarak hafifçe kımıldayışını izliyorum yalnızca, artık tahammül edemez hale gelene kadar. Ne zaman *Çok yalnızım*, diye düşünsem, durumum daha kasvetli ve gerçek bir hal alıyor. Bir şeyleri düşünerek var edebilirsiniz. Toprağı kazıp çıkarabilirsiniz onları.

Sıcak artıyor. Ablamı yattığı yerde bırakıp pencereleri kapalı, sessiz evden geçiyor, sahile iniyor, çakılların arasından geçiyorum. Yapacak bir şey arıyorum, ne olursa. Kumların ağaçlarla buluştuğu yerde kıyı otlarının yerini huş ve çam ağaçlarının serinliği alıyor; açık gökyüzünün ısısının korunaklı, gizli bir şeye yol verdiği bir geçiş alanı burası.

Uzun otları ellerimle ayırıyor, etime batan dikenleri, ısırganotlarını hissediyor ama aldırmıyorum. Her yerde yılanlar olabilir, ağızlarını ardına kadar açıp dişlerini gösterebilirler. Görünmezlikle hastalıklı ölüm korkusu arasında gidip geliyorum. Bütün ömrümüzü hayatta kalmaya odaklanarak geçirdik. Bu konuda çoğu kişiden daha becerikli olmamız doğal. *Kibir,* derdi Kral buna, hayatta olsaydı. Ormanda dolaşırken onun cesedini bulurum diye hâlâ tetikteyim hep. Bir engerek ısırmış olabilir onu. Bilinmeyen bir düşmanı ağaçların arkasına saklanmış olabilir.

Yüksek otlar çok geçmeden açıklıklara, toprak alanlara dönüşüyor. Etrafta bozulmamış tuzaklar olabilir diye yavaşlıyorum, nereye gitmem ve gitmemem gerektiğini gösteren işaretli ağaçları bulmaya çalışıyorum. Çok geçmeden kabuğuna yatay kesikler atılmış ilk uyarı ağacını görüyorum. Bir süre bekliyorum, toprak zeminli bir açıklığın kenarındaki devrilmiş ağaç gövdesine oturup sinirlerimi yatıştırmaya çalışıyorum. Sinekler kendilerini yüzüme doğru savuruyor.

Bir ses duyunca dönüp bakıyorum, açıklıkta duran Llew'ü görüyorum. Tek başına. Ormanın girmemize izin verilen bölümü oldukça küçük, sonuçta. Beni takip etmiş olmalı, trans halinde gibi evden çıktığımı görmüş, sahilde yürüyüşümü izlemiş olmalı. Başlarımızın üstündeki yapraklara, yeşil ışığa bakıyor. Uzakta bir yerde bir şey cır cır ötüyor; kuş mu yoksa bir kemirgen mi, bilemiyorum.

"Ormanın sonu nerede?" diye soruyor, bir ağaca yaslanıp. Korkmam gerektiğini biliyorum ama korkmuyorum.

"Dağlara doğru ilerliyor orman," diyorum. "Ama sana gidebileceğimiz kadarını gösteririm."

Bir süre yürüyoruz, kabuklarına kesik atılmış ağaçların sayısı artıyor. Llew'ün saçıma, başıma dokunduğunu hissedince aniden duruyorum, bana çarpıyor.

"Bir örümcek," diyor. "Saçından silkeledim onu. Ensenden içeri girmesini engelledim. Hayatını kurtardım." Elini yavaşça indiriyor, kolu yanına düşüyor.

Sonunda dikenli tel örgüden ilk sınıra geliyoruz. Tel örgü Llew'ün boyundan daha yüksek çünkü Kral da Llew'den uzundu ve tel örgüyü kendi ölçüsüne, boyutlarına göre yapmıştı.

"Elektrikli değil mi?" diye soruyor Llew bana. Başımı iki yana sallıyorum, tel örgünün yanına gidiyor, parmaklarını geçirip temkinli bir hareketle telleri sarsıyor. Tel örgü paslanmış artık. Uzun zamandır bu kadar yaklaşmamıştım. Tel örgünün diğer tarafı, durduğumuz taraftan farksız görünüyor.

"Bunların ne olduğunu sorsam bana anlatır mısın?" diyor Llew. Başımı salladığımı görünce gülüyor. "Ben de öyle düşünmüştüm." Tel örgüyü bırakıyor, ayağıyla hafifçe tekmeliyor.

"Bana etrafı göster," diyor, birlikte arazimize paralel uzanan tel örgü boyunca yürüyoruz. Çok geçmeden uzaktan evin beyaz duvarlarını görüyoruz. Arkadan yaklaşıyoruz eve. Çam iğnelerinin üzerinden, toprak zeminli açıklıklardan geçiyoruz.

"Eve şu taraftan gidebilir miyiz?" diye soruyor bana, böylece yönümüzü değiştiriyoruz. Tel örgü geride kalınca, arkasından görünmez olunca rahatlıyorum. Llew yanımda yürüyor, ensemdeki tüyleri ürpertecek kadar geriden geliyor. Bir an kendime gelir gibi oluyorum, nerede olduğumuzu, onun hiç tanımadığım bir hayvan olduğunu anımsıyorum. Gwil'e yumuşak ve şefkatli davranıyor olabilir ama bu yumuşak ve şefkatli biri olduğu anlamına gelmiyor. Cebine bir bıçak gizlemiş olabilir, ağzıma tıkmak için bir bez hazırlamış olabilir. Ne olursa. Hayal bile edemeyeceğim öldürme yöntemleri geliştirmiş olabilir.

"Önden yürü," diyorum ona. Yüzüme bakıp gülüyor, duruyor.

"Benden korkuyor musun?" diye soruyor. Bana doğru bir adım atıyor. Nefesini saçlarımda hissediyorum.

"Hayır," diyorum.

"Güzel," diyor. "Korkman gerekmiyor." Elimi tutmak ister gibi uzanıyor ama sonra kendine geliyor, kollarını iki yana sarkıtıyor yeniden. Dönüp yürümeye başlıyor, bu kez bir adım önümde ilerliyor. Islık çalıyor.

Gizlice onu seyrediyorum, yere düşen bir dalla başına vurup onu oracıkta öldürebileceğimi düşünüyorum. Dikenli telden bir parçayı yumruklarıma sarabilirim, ne olur ne olmaz diye. Ama sonra "Acele et," diye sesleniyor bana doğru bakarak ve kendime engel olamadan ona itaat ediyorum, ayaklarım sanki onun yönetimindeymiş gibi hızlanıyor, birden ağlamak istiyorum fakat onun önünde, burada ağlamamam gerektiğini biliyorum, önemli bu.

Çok geçmeden taş duvara ulaşıyoruz, duvarın ötesindeki yokuş eve doğru yükseliyor, bir zamanlar bakımlı olan çiçek tarhları şimdi bakımsız güllerle dolup taşıyor. Tepenin üstünde sivrisinek kaynayan küçük bir su birikintisi var. Tepeye tırmanırken düşüyorum, o bunu görmüyor, elimi güzelim toprağa, çimenlere ve yapraklara bastırıyorum. Orada kalmak istiyorum.

Su birikintisinin kıyısında çiçekleri avuçluyor. Tohum zarflarını silkeliyor, parmakları polen lekeleriyle kaplanıyor.

"Bunlara ne deniyordu?" diye soruyor bana tekrar tekrar. Bildiğim adları söylüyorum. Sarmaşık ve hanımeli kaplı bir duvarın yakınında duraksıyor.

"Romantik," diyor. Bana gülümsüyor. Koku baygın ve tatlı. Duvardan kopardığı bir çiçeği bana uzatıyor. "Senin için."

Çiçeği yere atıyorum, çürüme kokusunu almamak için ağzımdan nefes alıyorum; çevremizdeki bitkiler bizi özütleriyle boğuyor. Bana başka bir çiçek veriyor, bu kez kocaman ellerine bakıp çiçeği alıyorum.

"Bak," diyor, duvarın arkasında diz çökerek. "Buraya gel." Yerde bir şey görüyor ama ne gördüğünü anlayamıyorum. Yanına gidip daha yakından bakmak için çömelince kolunu bana doluyor ama kalkıp kaçmıyorum. Bedenim bir hain. Ben de hainim.

Eğilip ağzını bir an benimkine bastırıyor. Geri çekildiğinde yerde bir fare leşi görüyorum, öleli çok olmamış. Toksik salyasını yere tükürüp tükürmemek konusunda kararsız kalıyorum ama bir şey yapmama fırsat bırakmadan yeniden öpüyor beni. Sonra gülüyor, alnını bir an için benimkine bastırıyor. Ayağa kalkıyor.

"Zavallıcık," diyor. Fareyi kastediyor. Bir şey gırtlağını parçalamış. Yeri tekmeleyerek üzerine biraz toprak atıyor, onu orada bırakıyor. Elimin tersiyle dudaklarımı siliyorum. Sanki biri yüzüme vurmuş da, ağzım kanla dolmuş gibi hissediyorum.

"Şimdi sen önden yürü," diyor Llew. "Arkamdan sin-

117

si sinsi ilerlerken beni öldürmeyi planlamadığını nereden bileyim?"

Evin arka bahçesine ulaşınca onu iki yana açılan balo salonu kapılarından gölgeli salona geçiriyorum. Kimse görmedi bizi, kimse görmüyor bizi. Birlikte loş koridorda ilerliyoruz, alçalan güneş duvarları aydınlatıyor, bedenini benimkinden güvenli bir mesafede tutmaya özen gösteriyor. Artık temas etmiyoruz.

"Seninle yalnız kalmak isterdim," diyor, sanki *Biraz yüzmek isterdim*, der gibi.

Sonunda dilimin altında biriken tükürüğü yutuyorum, mideme doğru inen koyu bir şurup hayal ediyorum ve bunu düşünürken öyle sakinim ki şaşıyorum.

Yatmadan önce dişlerimi dört kez fırçalıyorum. Lavaboya ilk tükürüşümde tükürüğümde biraz kan var. Dördüncü seferin sonunda tükürüğümün çoğu kanlı ve bu onun suçu mu, benim suçum mu yoksa dişetlerimi oyan diş fırçasının suçu mu bilmiyorum. Ağzımı suyla iyice çalkalıyorum, mutfağa gidip tuz almak istiyorum ama biriyle karşılaşma riskine girmek istemiyorum. Bütün toksinleri lavabo deliğinden aşağı gönderene kadar gargara yapıyorum. Fakat ağzımdaki hissi geçiremiyorum ve her şeye rağmen geçmesini de istemiyorum. Kanama durunca dişetlerim solgun görünüyor ama ağzımda başka bir değişiklik yok.

Yaptıklarımın kefaretini ödemeyi düşünmem gerek ama tek düşünebildiğim beni ikinci kez öptüğünde destek olmak ister gibi elini başımın arkasına götürüşü; haklıydı üstelik, yere devrileceğimi sandım, bir şey beni sarhoş etmiş gibi sallandı gökyüzü — öyle hissettiğimi nereden bildi, yan yatan bedenime, fal taşı gibi açılan gözlerime destek olması gerektiğini nereden bildi?

Şafak sökerken tuhaf kuşun döndüğünü duyduğumu sanıyorum. Ötüşü gökyüzünde yankılanan bir çağrı sanki. Fakat baktığım zaman bir şey göremiyorum; ne kuş var ortada ne de ses. Yine de rüya görmediğimden eminim. Yatağıma dönüyorum; ellerimi dizlerimin arasına koyup iyice sıkıştırıyor, yüze, iki yüze, üç yüze kadar sayıyorum, ellerimin kemikleri sızlıyor, baş edebileceğim ağrı bir ninni gibi uyutuyor beni sonunda.

*Başlangıçta stratejim erkeklerin davranışlarını taklit etmekti. Güçlenmek için kendimi kirli havaya maruz bıraktım, parkta her zamanki bankıma yatıp bluzumu alttan kıvırıyordum ki kaburgalarım görünsün. Sesimi yükselttim ki insanlar yüzlerini buruşturarak benden uzaklaşsın. Sallana sallana, kaba bir tavırla yürüyordum.*

Eskiden annemizle Kral'ı gözetler, haftada bir baş başa yedikleri akşam yemeklerini gizlice seyrederdik. Yemekten sonra sahile inip kumların üstünde kuşlar gibi birbirlerini öper, şezlonglara uzanıp kucaklaşır, en sonunda onları rahatsız etmememizi söyleyip evin üst katına çıkarlardı. Bedenlerinin kamusal eylemleri de özel alandaki eylemleri kadar önemliydi, bize hâlâ birbirlerini sevdiklerini böyle gösteriyorlardı. Bu ritüel beni rahatlatıyordu. Düzenli bir şekilde yapıyorlardı bunu, annemiz kusursuz bir dünyada yakınlığın böyle düzenli olması gerektiğini söylerdi – insanı asla boğmamalı, sevincini yitirmemeliydi bu tür yakınlıklar. Küçük aşk parçaları birer armağan gibi avuçta sunulmalıydı.

Sabah annemiz onu izlediğimi fark ediyor ve o da beni izliyor. *Yalnızlık* olasılığı konusunda düşündüğümü biliyor, zihnimi okuyor olabilir. Kahvaltı bitince herkes masadan kalkarken beklememi istiyor benden.

"Hastalanıyorsun," diyor. "Akşama kadar hücre hapsinde kalman gerek."

"İyi hissediyorum ben," diyorum ona. Kaşlarını çatıyor, dolapta duran termometreyi kutusundan çıkarıp bana uzatıyor. Dilimi hiç kımıldatmadan bekletiyorum cam termometreyi ağzımda.

"Düşündüğüm gibi," diyor telaşla, termometreyi ışığa doğru kaldırırken. "Onlarla çok fazla vakit geçirdin şimdiden. Kendine bakmayı ne zaman öğreneceksin?" Peşinden yukarı çıkıyorum. Onun odasına gidiyoruz, benimkine değil.

"Demirlere bakarak meditasyon yap," diyor. "Yere oturup onlara bak."

Odadan çıkıp kapıyı arkasından kilitliyor, beni içeri hapsediyor. Gözlerim sulanana kadar demir parçalarına bakıyorum. Benim bile kendime karşı sabrım yok, bedenimi oluşturan kemik ve et torbasını sevmeye hiç mi hiç ilgi duymuyorum.

Fakat yine de – orada, bahçede, onun dizlerini kaplayan kumaşı toz kaplar, bense topuklarım üzerinde her an düşecekmiş gibi dengede durmaya çalışırken yeni bir şey oluyor. Birden aşkın benim için olanaksız olmadığını anlıyorum. Bir fırsat bu.

Kimse bana dokunmazsa öleceğimi biliyorum. Bunu bir süredir biliyordum zaten. Dokunulmaya diğerlerinden daha fazla ihtiyacım varmış gibi gelirdi bana, onlar irkilerek çekilirken ellerim omzularını veya başlarını süpürürdü. Bana kimse atanmamıştı çünkü. Kimsenin en sevdiği değildim, bir süredir olmamıştım. Bazen başka bir tenin temasını hissetmeden günler, haftalar geçirdiğim oluyordu ve biri bana dokunduğunda derimin incelmiş olduğunu hissedebiliyordum, bedenimi çimenlere, kadifeye, kanepenin köşesine yaslayıp ellerimi, dirseklerimi ve bacaklarımı acıyana kadar bir şeylere sürtmek zorunda kalıyordum.

Daha sonra, tecritten çıkarıldığımda odama dönüyorum ve kapının altında bir kâğıt parçası buluyorum. Halıya bırakılmış bir not. Resepsiyondaki Ziyaretçi Defteri'nden yırtılmış bir sayfa, kenarı altın yaldızlı. Sayfanın bir yüzünde, mavi mürekkep ve kıvrımlı elyazısıyla "Evinizi bana açtığınız için teşekkür ederim," yazıyor. Diğer yüzüne siyah kalemle şunlar yazılmış: "Bu gece geç saatte havuzun başında buluşalım. Llew."

Odalardan hangisinin benim olduğunu anlamak için burayı gözetlemiş olmalı, diye inanamayarak düşünüyorum. Notu beş, altı, yedi kez okuyorum, sonra gülmeye başlıyorum, başta sessizce gülüyorum ama bir süre sonra sesim duyulmasın diye yüzümü yastığa gömmem gerekiyor.

Akşam duası sırasında annemizin gözlerinin içine bakıyorum. Duanın sonuna kadar bakıyorum ona böyle. Memnun görünüyor, bana bakıp gülümsüyor, gülümsüyor. Bazen onu memnun etmek çok kolay.

"Dualarımız hasarlı kadınlar için, onların güçlenmesi ve huzur bulması için," diyoruz.

"Kızkardeşlerimiz ve evimiz sevgi dolsun.

Annemizin sağlığı yerinde olsun." Annemiz vurgulamak için avucunu göğsüne bastırıyor.

Yeni dualarımız da var artık.

"Erkeklerin bedenlerinden korunmak için duamız.

Erkeklerin kalbi iyi, niyeti iyi olsun diye duamız."

Cam bir şişe çıkarılıyor. Sıraya giriyoruz. Annemiz dillerimize damlalıkla bir şey bırakıyor, damlattığı şeyin tatlı tadı damaklarımıza yayılıyor. Başparmağını etikete bastırdığından adını göremiyoruz.

"Onlardan uzak durmanızın önemini ne kadar vurgulasam az," diyor bizlere, fakat daha önce yanıldığı oldu, yine yanılıyor olabilir ve bu gece ilk defa içten içe suçlulukla kıvranmıyorum.

Biraz uzaktan görüyorum onu, ışıldayan suda sırtüstü kulaç atıyor. Uyuyan evden hiç ses çıkarmadan kaçtım, kızkardeşlerimin yatak odalarının önünden geçtim, hain kalbim içtenlikle küt küt atıyordu. Burada, havuzun başında herkes görebilir bizi ama yine de yanında suya giriyorum. Suyun altına dalıyor, ben de öyle yapıyorum, gözlerimi açıp onu seyrediyorum. Yanaklarını şişirmiş, açık mavi baloncuklar üflüyor, tuhaf aydınlıkta solgun yüzünde ışıklar oynaşıyor. Uzanıp kollarını tutuyorum.

"Sen!" diyor alçak sesle yüzeye çıkıp ayrıldığımızda.

"Sen," diyorum karşılık olarak.

Havlulara sarınıp ev karanlıkta gözden kaybolana dek hızlı hızlı kumsala doğru yürüyoruz. Sahilin ucundaki taşlık gölete yaklaşınca Llew havlusunu silkeleyip uzanmam için yere seriyor. Oturmamı işaret ediyor, oturuyorum. Üşüyorum, adrenalinden titriyorum. Rahatça yanıma oturuyor, kolunu yeniden omzuma doluyor.

"Böyle iyi mi?" diye soruyor.

Evet, iyi böyle. Onun ağzından bir bulut gibi çıkan toksinleri, sonra olanları düşünmemeye çalışıyorum. Durdurmak için hâlâ zamanım var ama merak bir kere beni ele geçirdi artık. Kanım kaynıyor, egzersizleri en iyi yapan benim, boyum kızkardeşlerimin boyundan daha uzun, bedenim onlardan daha güçlü. Uyluklarımdaki özenli işaretler bir süre olsun mutlaka, mutlaka korunmamı sağlayacak tılsımlar. Karşımızda uzanan dümdüz ve sonsuz sulara gökyüzünden kırık camı andıran ışık parçaları düşüyor. Başımın yanını öpüyor, ağzı ıslak saçlarıma, kulağıma değiyor.

Aniden ağlamak istemem neden? İstediğim her şey bir anda gökten zembille indi diye mi? Dizini tutuyorum, kontrol edebileceğim bir temas biçimi arıyorum. Dünyadaki her şeyi, evreni kucaklamak istiyorum.

*Böyle iyi mi?* sorusu nakarata dönüşüyor. Bana aşırı

özenli davranıyor. Benim de sakınılarak dokunulması gereken yeni bir şey olabileceğim geliyor aklıma.

Kadınları, anlattıkları şeyleri, duymamış olmam gereken şeyleri düşünüyorum, bir de koşarken bacaklarımda uzayan kasları, hareket halindeki bedenimi, bükülen kollarımı, öne fırlayan göğüskafesimi. Hareketin şaşırtıcı, basit hazzı.

Kirli tırnaklarımdan, sivri topuklarımdan utanıyorum. Gerçi, karanlıkta, ıslak ve tuzlu havada önemi kalmıyor bunların.

Sonrasındaki sessizlikte aklıma gelen ilk düşünce, *Hayatta kaldım.* Hem küçük hem büyük bir zafer. Dokunulma iştahım tekrar bileniyor ama o kumlara sırtüstü uzandı ve elini üstümden çekti bile.

Erkekler geldiğinde, eğer gelirlerse, evimizin yerle bir olacağını, kanımızın sahildeki kumlara akacağını, havuzun suyuna karışacağını ima eden şeyler söylerdi Kral. Ebeveynlerimizin, bize duydukları sevgi ve korkuları yüzünden yanılmış olabileceklerine karar veriyorum. Çok yaşlandılar. Kalpleri kurudu. Onların suçu değildi. İçim şefkatle doluyor, sanki bir anda her şeyi anlıyor, cömertleşiyorum, sanki bir daha kötü bir şey olamaz asla.

Odama dönüp banyoma girince, beyaz pamuklu iç çamaşırıma bulaşan kanı görüyorum ve önce gerçekten de öleceğimden korkuyorum. Bunca kan, duyduğum hafif ama göz ardı edilebilir acı için fazla geliyor. Olanları anlatabileceğim, fikrini sorabileceğim kimse yok, diğer semptomları aklımdan geçiriyorum, ellerimin üstündeki deriyi, gözlerimi inceliyorum. Dokunduğu yerlerde –kürekkemiklerim, kollarım, bakışlarına karşılık veremediğimde bir an için yanağım– iz yok. Kanama duruyor, çekinerek şimdilik güvende olduğuma karar veriyorum, aynada solgun görünsem de – güneş doğduğu için görebiliyorum bunu artık.

Yakınlık nedir öğrendim, yine yitirdim ve yokluğu hüzünlü bir ağırlık. Birden öncekinden daha yalnız hissediyorum, gerçek acıdan daha beter keskin bir ağrı duyuyorum. Olanları zihnimde yeniden canlandırıyorum. Bedeninin her hareketini düşünüyorum, acıda bile elzem ve tanıdık bir şeyler olduğunu, parça parça şeyleri birleştirerek yavaş yavaş anlamaya başlıyorum. Tahlil etme becerim kısıtlı; çok fazla boşluk var. Bir an kızkardeşlerime sormayı düşünüyorum. Fakat sonra, derin ve canlandırıcı bir dehşetle, bu konuda onlardan daha ileride olduğumu fark ediyorum. Onların sahip olmadığı bir bilgiye sahibim.

Emin olduğum tek şey, şimdiye dek belli ettiğinden, benden çok daha güçlü olduğu. Önceden, Kral'ın ölümüyle Llew'ün gelişi arasındaki kısacık dönemde, erkeksiz tatilimizde en güçlü bendim. Bir an için bir şeylerden yoksun hissediyorum.

Grace'e korkunç bir şeyler olduğunu banyodan çıkıp yatağıma geçtiğimde fark ediyorum ancak. Duvarın arkasından ölmekte olan bir hayvanın, tuzağa yakalanmış bir kuşun sesi geliyor. Başta gidip ne olduğuna bakmaya korkuyorum ama sonra onun ablam olduğunu, hayatının hayatım olduğunu hatırlıyorum ve kapısı kapalı olmasına rağmen, birbirimize bazı küçük mahremiyet anları tanımamıza, annemiz önemsiz olduğunu düşünse de böyle anları korumamıza rağmen açılana kadar zorluyorum kapısını. Ablam sırtını yatağa yaslamış yerde oturuyor, bedeni iki büklüm. Yatak örtüleri sırılsıklam, kıpkırmızı. Bebek geliyor. Sıktığı dişlerini gördüğüm an koşmam gerektiğini anlıyorum.

Koridorlardan annemizin odasına doğru koşarken Grace'in çektiği acının farkındayım, acısının beyaz girdabı beni ona bağlıyor, bir yandan da alttan alta benden o kadar kolay kurtulamadığı için seviniyorum, kardeşliğimizin kontrol edebileceği her şeyden daha derinlere uzanmasından memnunum. Llew unutuldu bile, onun sağlam ve düzgün hatları tanınmaz haldeki kardeşimin yanında hiçbir şey ifade etmiyor; kardeşim yere çökmüş bir hayvan şimdi. Onu daha iyi anlamamı sağlayabilirmiş gibi, canımın yandığını hissetmek için tırnaklarımı avuçlarıma bastırıyorum. Çektiği acının yanına yaklaşamam, bunu ben bile biliyorum ama deniyorum yine de. Avuçlarıma bakınca tırnaklarımın bıraktığı hilal şeklindeki beyaz izleri görüyorum, minnettar kalıyorum.

*Her gün yanından geçiyordum, her gün trafiğin diğer tarafından bana sesleniyordu, her gün biraz daha bozuluyordu moralim. Kulaklık takıyor, başıma atkı doluyordum. Daha yüksek sesle bağırıyordu. Dudaklarını okuyabileyim diye burnumun dibine giriyordu. Her gün onu öldürmeyi hayal ediyordum. Bu hayal öyle iyi geliyordu ki.*

Annemiz hazırlanıyormuş. Sıcak su dolu leğenler, kat kat çarşaflar, havlular. Yeni dualar ve yeni sözcükler, *beşik* ve *doğum sonrası*. Onu sarsarak uyandırıyorum, acil durumun ne olduğunu açıklamama gerek bile yok. Havluları, yastıkları, makası, çakıyı Grace'in odasına götürüyorum. Sky'ın kapısını tıklatıyoruz. Erkeklere haber vermiyoruz, Grace'in odasının kapısını içerden kilitliyoruz.

"Bebek," diyor Grace bana, sanki etrafta başka kimse yokmuş gibi. "Bebekle ilgili rüyalar gördüm. Erkek olduğunu gördüm. Daha kötü şeyler de gördüm." Elektrik akımı gibi bedeninde dolaşan sancıyı görebiliyorum. "Bebeğin ağzı yoktu rüyamda," diyor bana. "Onu ormana gömdüğümüzü gördüm."

"Bu kadarı yeter," diyor annemiz, olanların hepsine daha önce şahit olmuş gibi; belki de olmuştur. "Kızını kucağına aldığın zaman her şeyi unutacaksın."

Kızı, kızı, kızı. Uzun yoldan geliyor, ışıklara boyalı. Onunla tanışmaya can atıyoruz.

"Yardım et bana," buyuruyor annemiz. "Grace'i çevirmemiz lazım."

Hemen ellerimizi kollarımızı uzatıp Grace'in ağırlığını yükleniyoruz. Denize dualar edişimizi, dua ederken felaketlere hazırlanışımızı, ağır bedeninin beklediğimiz felakete ne kadar da çok benzediğini düşünüyorum. Annemiz saçını topluyor. Ense çukurunda kanlı bir parmak izi kalıyor.

Sancılar sıklaşıyor artık, Grace'in bedeni istemsizce kıvranıyor. Bana bakarken bütün uzuvları titriyor. "Umarım ölür giderim," diyor bana, sonra annemizin gözlerinin içine bakıyor. "Umarım nihayet geberirim de kurtulurum."

"Uzatma artık," diyor annemiz yeniden, elleri merhametsiz. Grace gözlerini yumuyor, yüzünden su boşanıyor.

Sonra akşam çöküyor, hava kararıyor ve işte, Grace son bir kez ıkınarak boğuk bir sesle uluduğunda çıkıyor: kanla kaplı, sessiz bir şey, uzun bir sicimin ucunda. Annemiz elini bebeğin ağzına götürüyor. Kurbağayı andıran bedenindeki kanı süngerle siliyor, lambanın ışığında derisi mosmor. Grace soluk soluğa, bütün gücü tükenmiş yatıyor.

Annemiz ağzını bebeğin yüzüne yaklaştırıyor, ciğerlerine hava üflemeye çalışıyor. Bir süre sonra vazgeçiyor. Makası alıp sicimi kesiyor, bebeği bir battaniyeye sarıyor, kollarıma veriyor.

"Onu görebilir miyim?" diye soruyor Grace. Annemiz başını sallayınca kucağımdaki minik bedeni yatağa götürüyorum. Grace bakıyor, sonra başını çeviriyor, gözlerinden yaşlar süzülüyor.

"Götür onu," diyor bana.

Bugüne kadar gördüğüm tek bebek Sky'dı. Bir karides gibi pespembeydi, çok gürültücüydü. Elini ağızlarımıza sokar, minik tırnaklarıyla dişetlerimizi tırmalar, her şeyi bilmek ve görmek isterdi. Uzuvları uzayıp algıları geliştikten sonra, düşünceleri bizim kadar onu da şaşırtarak ağzından dökülmeye başladıktan sonra bile bebekliğini, üzerimizdeki ilk etkisini unutamadık. Grace bana geldiğinde oluşunu tamamlamıştı, ben ona gelmiştim daha doğrusu, aramızdaki mesafenin tesis edilmesi, mücadeleyle kazanılması gerekmişti. Sky farklıydı. Ondan bir şeyi esirgemek zordur, büyümesin, güvende kalsın ister, onun tamamen bu dünyaya ait olduğunu düşünürdük. Annemiz ve Grace, hatta annemizin bedeninin içindeki minik bedenim bile diğer dünyadan tamamen muaf olamamıştı. Sky'ınsa kanı kusursuzdu, özünde zehirlerden azadeydi, tamdı.

Sky ve ben hareketsiz bebeği alıp karanlık banyoya giriyoruz. Kapıyı ardımdan kapatıyorum; soğuk fayanslara oturuyoruz, sonra ne yapmak gerektiğini düşünmeye çalışıyorum. Kapıya, lambanın düğmesine elimden kan bulaşıyor. Ben bebeği ellerimle yıkarken Sky küvetin kenarına oturuyor. Olanların başından beri sessiz, itaatkârdı, herkese yardımcı oldu. Yüzgeçlerle karşılaşmaktan çekinerek battaniyeyi açtığım sırada ifadesiz yüzüyle beni seyrediyor. Bulduğum şey daha da korkunç bebek bir erkek, oysa annemiz bunun mümkün olmadığını söylemişti. Sky görmeden bebeği yeniden battaniyeye, bu kez daha sıkı sarıyorum.

Bu bebeğin adı yok. Adını doğumdan önce seçmenin uğursuzluk getireceğini söylemişti annemiz. Bu kadar küçük bir şeye öyle bir ağırlık yüklemek talihsizlik getirirdi.

"Kucağıma alayım mı," diye soruyor Sky. Üzülecek diye korkuyorum ama uzattığım kundağı alıp minik yüzünü nazikçe, çekinmeden öpüyor. Minik başındaki hâlâ ıslak saçları birlikte düzeltiyoruz.

Kapının diğer tarafından Grace'in sesi yükseliyor,

önce haykırıyor, sonra susuyor. Ortalığın yatıştığını duymayı bekliyoruz. Uzun süre bekliyoruz, kollarım ağrımaya başlıyor ama annemiz kapıyı açıp kollarını uzatarak onu isteyene kadar bebeği kucağımdan indirmiyorum. Grace uyuyor. Loş ışıkta koridordan, kapısının önünden geçiyoruz, gece lambasının ışığında örtüleri başının üstüne çekmiş yatan karartısını görüyoruz. Annemiz bir şey söylemeden kapıyı arkamızdan kapatıyor. Erkekler, her neredeyseler, ses çıkarmamaları gerektiğini biliyorlar.

Odama girdiğimiz anda Sky'a küvete girmesini söylüyorum, onunla birlikte oturup musluğu sonuna kadar açıyor, derilerimize ve saçlarımıza su püskürtüyorum. Uzun saçlarını köpürtüp durularken Sky arkasını dönüyor. Temizlendikten sonra yatağımın ayak ucuna kıvrılıp hemen uyuyakalıyor. Tavan yüksek, içerisi havasız. Dışarıda yeniden ağarmaya başlayan gökyüzünün ışığında kızkardeşimi seyrediyorum, ıslak saçlarından yayılan su örtüleri ıslatıyor.

*Bir gün kocama bakıp şöyle düşündüm: Beni yere se-*
*rer miydin? Benim için gelseler yumruklarını kaldırıp onla-*
*rı durdurmaya çalışır mıydın? Benim için geleceklerini sık*
*sık düşünüyordum ama "onların" kim olduğundan emin*
*değildim, sürekli değişiyorlardı. Bu kötü düşünce bir kez*
*zihnimde belirdikten sonra sürekli aklıma gelmeye başladı.*
*O uyurken uyanıksam bunu düşünüyordum. Hayır, diye*
*fark ettim bir gün. Kenara çekilir, onlara izin verirdi.*

Sabah erkenden kapımı çalmadan odama dalan annemizin yüzü yorgunluktan harap. Gözlerimin içine bakıyor, sessizce onunla birlikte koridora çıkmamı işaret ediyor. Elini uzatıp bir an yanağıma dokunuyor. Kuşlar gibi dümdüz elmacıkkemiklerinde kendimi görüyorum. "Ablanı ne kadar seviyorsun?" diye soruyor, kollarımı ardına kadar açıp, *Bu kadar*, diye gösterdiğimde başıyla onaylıyor. Kulağıma eğilip, sessizce, onun için bir şey yapmamı istiyor.

Önce banyonun gri ışığında yüzüme soğuk su çarpıyorum.

"Neden erkekti?" diye soruyorum, benden bir şey istemiş olmasından cesaret alarak.

Değildi, diyor. Kesin konuşuyor. Bu kadar.

Bebeği sıkı sıkı kucaklayarak evden çıkıyor, sahile iniyorum, kan lekeli battaniyeyi açmaya korkuyorum. Uzun uzun yıkanmama rağmen üzerimde hâlâ kan varmış gibi geliyor, kokusunu alıyor, tenimde hissediyorum ve bir gün yıkamakla geçmeyecek bir leke bulaşacağından, lekenin sonumuzu haber vereceğinden, işimizin o zaman biteceğinden korkuyorum. Llew'ün terinin üzerimde bir yerde kurumuş olmasından, o toksik kiri hâlâ temizleyememiş olmaktan korkuyorum. Saatlerdir ilk kez onu düşünüyorum. *Ne olur temiz ve lekesiz bir hayat süreyim. Ne olur ondan başka hiçbir şey dokunmasın bana, çünkü onsuz ölürüm,* diye dua ediyorum, bebeği bir daha dönmemek üzere evimizden uzağa taşırken.

Battaniyenin ortasındaki soğukluktan, bir keresinde boş odalardan birinde bulduğum cam kâğıt ağırlığından çok da büyük olmayan o nesneden başka ne olursa düşünmeliyim.

Bohçalanmış bebeği sandalın dibine koyuyorum. Hava henüz serin, denizle ufkun buluştuğu sınırı soğuk şafak sisi kaplıyor, var gücümle kürek çekiyorum. Başka zaman olsa korkardım ama şu anda korkuya ayıracak yerim yok. Bedenim dün geceden beri ağrıyor. Her şeye rağmen halen bir felaket olabileceğini biliyorum, olmayacağının garantisi yok. Alnımdaki terler gözüme damlıyor, ışık kırılıyor, bir an için dünya çevremde patlar gibi oluyor, iyi geliyor bu. Şamandıralara cesaret edebildiğim kadar yaklaşıyorum, sular kıpırtısız, bebeği son kez kucağıma alıyorum.

"Onu sana geri veriyorum," diyorum denize. Yanıt gelmiyor, kollarımı dirseklerime kadar suya sokuyorum. Küçük bohça suyun dibine çöküyor. Denize gömülmek. Tek onurlu seçenek.

Sahile dönüş yolunu yarılamışken bir an için durmanın güvenli olduğuna karar veriyorum; kürekleri sandala çekip daha önce hiç ağlamadığım kadar yüksek sesle ağlıyorum. İlk jilet kesiğinden sonra, düşüp bileğimi çatlattığımda, güneşin altında saatlerce uyuyakalıp bütün derim su topladığında ve annemiz bedenimdeki enfeksiyonu yatıştırmak için yanıklara tuz döktüğünde bile böyle ağlamamıştım. Ellerimi kulaklarıma bastırıp beni bile korkutan bir ses çıkarıyorum, acımı daha tahammül edilir hale getirmek için iki büklüm oluyorum. Sahilde evimizi görüyor, uzun zamandır ilk kez, belki hayatımda ilk kez, eve dönmek istemiyorum. Beni bekleyen ailemi düşünüyorum sonra. Llew'ü düşünüyorum; belki o da bekliyordur. Böylece dönüyorum.

Öğle yemeğinden sonra Grace lobiye inebilecek kadar topluyor kendini, birlikte koridorlardan geçerken elim her an dirseğinin yanında, onu yakalamaya hazır. Öğle sonrası güneşi ayaklarımızın dibinde oynaşıyor. Erkekler aşağıda, koltuklara yayılmış oturuyorlar. Sehpalarda onların tükürüklerinin ve terinin izini taşıyan su dolu bardaklar duruyor, ayakkabılarını çıkarıp oturmuşlar, üstlerinde Kral'ın giysileri.

"Nasıl hissediyorsun?" diye soruyor James, ciddi bir ifadeyle. Ayağa kalkıp ellerinden birini Grace'e uzatıyor, ablam sonunda tutuyor onun elini. Diğer elini ablamın elinin üstüne koyuyor James. "Olanları duyunca çok üzüldük."

"Kötü hissediyorum," diyor Grace. Onun oyununa katılmayacak.

"Tabii," diyor James. "Doğal bu."

Pencerenin yanında duruyor, camı iyice açıyorum. Grace satranç tahtasını getiriyor, esintiyi hissedebileceğimiz bir yere oturuyoruz. Gwil zeki ve canlı bakışlı gözleriyle bizi seyrediyor, sanki aniden sert hareketler bekliyor bizden. Bir an için satranç tahtasını alıp yere çalmak istiyorum, keskin bir kahkaha boğazımdan yükselmek istiyor. Oturduğu yerden bize bakan Llew bir şeyler olduğunu hissediyor, elini oğluna uzatıyor. "Buraya gel Gwil," diyor, "Ayak altında dolaşma." Tek koluyla bir an kendine doğru çekiyor onu, sonra bırakıyor.

"Kahve yaptık," diyor James. "Siz de alın."

Grace'le paylaşmak için demlikten bir fincana kahve dolduruyor, bol şeker atıyorum. Grace bir şey söylemeden içiyor kahveyi. James denizi seyrederken Llew bir sandalye çekip satranç tahtasını yakından seyrediyor. Gwil de onun yanında duruyor ama sonra ilgisini yitirip elleri ve dizler üstünde kanepenin arkasına giriyor.

"Kalenle oyna," diye fısıldıyor Llew, ağzına götürdüğü elinin arkasından. Onu bu kadar yakında hissettiğim için donup kalmış, satranç taşlarına bakıyorum.

"Haksızlık bu," diyor Grace. "Hile yapmak yok."

"Sıran gelince sana da yardım ederim," diyor Llew ona.

"Yardımını istemiyorum," diyor Grace.

Kaleye dokunmuyorum. Atla oynamanın daha iyi bir hamle olduğuna karar verip öyle yapıyorum.

"Şuna bakar mısınız," diyor Llew. Hâlâ gülümsüyor. Başımı çevirip denize bakıyorum, bebeği nereye bıraktığımı tahmin etmeye çalışıyorum. Kabarık sular her an değişiyor. Sanki hiç olmamış gibi; bir gün gerçekten de olmamış gibi hissedebileceğimi umuyorum.

Annemiz yanında Sky'la beni ve Grace'i bulmaya geliyor. Erkekler arkamızdan bakıyor ama peşimizden gelmiyorlar. Mavi akşamüstü ışığında esneme yapıyor, belimizden eğilip parmak uçlarımızla çimenlere dokunuyoruz. Grace manolya ağacının altındaki bankta oturuyor.

Annemiz yere uzanmamızı istiyor, Grace'in bile. Toprak nemli. Gözlerimizi kapatmamızı istiyor. Her birimizin üzerine gövdelerimizi baştan aşağı örten ağır örtüler yerleştiriyor. Yeni bir şey bu.

"Üzüntünüz için," diyor bize. "Bunların altında ağlayın. Beş dakika."

Dediğini yapıyoruz.


Sonra odamda biraz uyukluyorum, bitkinim. Kalkıp perdeleri açtığım zaman, uykulu gözlerle hâlâ aydınlık gökyüzünün altındaki denize bakınca, dalgaların arasında bize ait olmayan bir şey görüyorum.

Komodinin önüne diz çöküp dürbünümü bulana kadar içindeki her şeyi boşaltıyorum, sonra merdivenlerden yukarı, en üst kat koridorunda koşuyorum ve teras kapısını açıyorum. Elim kayıyor ama sonunda terasa çıkıyor, doğruca parmaklığa gidiyorum, cesaret edebildiğim kadar eğilip bakıyorum, ben göremeden denizin dibine gömülmesinden korkuyorum.

Hayalet. Dürbünle bakıyorum ona, mide bulantısından iki büklüm oluyorum hemen. O kadar uzakta olduğuna memnunum. Bize ulaşmasına imkân yok. Bir bebeğin hayaleti olmak için çok büyük, suyun üstünde inip çıkıyor. Uzun süre bakamıyorum ona, ne dürbünle ne dürbünsüz – artık insan olmadığı belli olan daha tehlikeli bir şey, şişmiş ve hastalık saçarak sahilimize vurabilecek bir şey.

Yine de uzman sayılmam bu konuda. Grace'in odasına koşuyorum; halen uyuyor. Hâlâ çok solgun, kanı çekilmiş ama yine de onu sarsarak uyandırıyor, "Bir hayalet var, denizde, açıklarda," diyorum. Bunu bekliyormuş gibi hemen doğrulup oturuyor.

"Biliyordum," diyor dalgın bir sesle. "Böyle olacağını biliyordum."

Annemizin odasının önünden geçerken nefes alıp verişlerini duyuyoruz. Sky'la birlikte içerideler, yatakta uyuyorlar, annemiz yüzüstü uzanmış.

"Onu uyandırma," diyor Grace. "Bunu görmemeli." Böyle anlarda kızkardeşimden asla kuşkulanmamam gerektiğini hatırlıyorum.

Terasa dönüyoruz ama gitmiş o. Grace'i çekerek aşağıya indirip, sahile çıkarıyorum, iskeleye gidiyor, önümüzde uzanan suları kontrol ediyoruz ne olur ne olmaz diye. Onu göremiyoruz.

"Hayaletler hassastır," diyor Grace dürbünü sırayla kullanarak bir süre sulara baktıktan sonra. "Onu gördüğüne inanıyorum ben."

Minnet duyuyorum.

Güneş artık batıyor, ufukta uzun ve ıslak görünümlü mor bulutlar beliriyor. Havuza dönüyoruz, elbisemi çıkarıp içimdeki mayomla suya giriyorum. Grace kenarda oturup bir süre beni seyrediyor, havuzun ortasında kulaçlar atıyorum. Arkasındaki ormanda kuşlar alçak sesle uzun uzun ötüyor. Yüzüme çarpan kusursuz hava karşısında gözlerimi yumuyorum.

"Boğulma oyununu en son ne zaman oynadın?" diye soruyorum ona.

"Hamileyken hiç oynamadım," diyor. "Bebeğe zarar vermek istemedim." Ağzı keskin bir çizgiye dönüşüyor. Alışık olmadığım türde bir sevgiden cesaret alıp yanına gidiyor, kolumu omzuna atıyorum ve bu kez itmiyor beni.

"Yapmak zorunda kaldığın şey için üzgünüm," diyor bana.

"Önemli değil," diyorum. "Yaptım çünkü seni seviyorum."

Başını eğiyor. "İyi bir kızkardeşsin."

Fayanslara uzanıp gözlerini yumuyor, serinlesin diye avucumla biraz su döküyorum alnının tepesine. Az sonra annemiz evden çıkıp suyun kenarına oturmaya geliyor, Sky da peşinde.

Şezlonglardan birinin kenarına ilişirken "Şu sahneye bakar mısınız?" diyor annemiz neşeyle. Sky da elbisesini çıkarıp suya, benim soluma atlıyor, sıçrattığı suların annemizi ıslatmasına ramak kalıyor.

"Ne güzel, değil mi?" diyor annemiz. "Tıpkı eski günlerdeki gibi değil mi?"

Suyun altına dalıyorum, ellerimi birleştirip Sky'a

bir basamak yapıyorum. Onu havaya kaldırıyorum, dengede durmaya çalışan bacakları titriyor. Çok eğleniyor. Derken dengesini yitiriyor, üzerime yuvarlanıyor, birlikte sulara gömülüyoruz, yüzeye gülerek, el çırparak çıkıyoruz. Karnımın yanı ağrıyor. Bir an için çetin bir neşeye boğuluyorum, öldürmenin yolu yok bu neşeyi.

Diğerlerine neden hayaletten söz edeyim ki? Neden bu akşamı, yanaklarımızı ağrıtan gülümsemeyi mahvedeyim? Annemiz şezlongda arkasına yaslanıyor, ayaklarını üst üste atıp bacaklarını uzatıyor. Bir kez daha, çevresindeki her şeyin kraliçesi.

*Gruplar halinde, bir arada hareket ediyorduk. Bazen kulak tıkacı takıyorduk. Koşmak gibi aktiviteleri en az iki kişi yapıyorduk ve tetikte kalıyorduk. Yine de zarar görüyordu kadınlarım. Hasarın ayrıntılarını telefonda birbirimize anlatıp ağlıyorduk.*

Ertesi gün uyandığımızda, annemiz gitmiş.

Annemizin mutfakta, bahçede, salonda olmadığını Sky fark ediyor. Avaz avaz bağırmaya başlıyor, adlarımızı haykırıyor, ellerimiz havada, zihinlerimizden en yakındaki silahları, ağır nesneleri, bir kişinin karnına veya burnuna diz atmanın en iyi yönemini düşünerek yanına koşuyoruz.

Bir kişinin, kadının değil. Koşarken üstümüze yeni türde savunmacılıklar çöküyor, sözcükler ve imgeler zaten oradaymış, başından beri gizleniyormuş, onları çağıracak şeyi bekliyormuş gibi –Llew'ün misk kokulu kol altı, James'in kolundaki belirgin damarlar, hatta Gwil'in bahçede bir oraya bir buraya yürüyen dümdüz, solgun, çocuksu bedeni– zihinlerimize doluyor; bu soluksuz, sıkışık anda kullanamayacağımız ve ihtiyaç duymadığımız yeni şiddetimizle buradayız işte. Tek yapabildiğimiz Sky'ı teselli etmek, kendi titreyişimizi hissetmemek için onun titreyen bedenine sıkı sıkı sarılmak.

Beyazlar içindeki annemizi hayal ediyoruz. Ağzında bir bez parçasıyla, ellerini ayaklarını kat kat bezle sarmış halde hayal ediyoruz onu; Kral'ın ihtiyaç duyduğundan çok daha fazla ihtiyacı var korunmaya. Şafaktan önce ufukta kayboluşunu, sislerin arasından eve, haince uykularını uyuyan kızlarına doğru baktığını hayal ediyoruz.

Bunun da bir sınav olabileceğini, ömrümüz boyunca yinelenen diğer dayanıklılık testlerinden biri olabileceğini düşünüp evin çevresinde dolaşıyoruz, seslerimiz kısılana kadar ona sesleniyoruz. Yıllardır kapalı duran dolapları açıyor, eski süpürgelerden, farelerin ekşi kokusundan başka bir şey bulamıyoruz. İkisi de bir kadının sığabileceği kadar büyük buzluğu ve buzdolabını açıp bakıyoruz. Kömür mahzenine, evin arkasındaki kapısı sürgülü müştemilata bakıyoruz ama içerideki toz ve karanlık içimizi üpertiyor. Hiçbir şey yok.

"Annenizi sabah gördük," diyor Llew. Yanına gittiğimizde havuzun kıyısında şınav çekiyor. Hareket edişini görünce gizlice heyecanlanıyorum, diğer hareketlerinin yanına, listeme ekliyorum bunu da. Yanına gittiğimizde duruyor, ayağa kalkıp bize bakıyor, soluğu hafif hızlı. Saçları dikilmiş, bakışları yorgun. "Şafak sökmeden yola çıktı, gitmeden önce kapımızı tıklattı. Sizleri rahatsız etmek istemedi."

"Bizi uyandırmalıydınız," diyor Grace. "Anakaraya asla gitmez o. Asla. Her zaman Kral giderdi." Burada kontrol altında tuttuğumuz hava koşullarına bedeni dayanabilen Kral'dı.

"Nefes egzersizlerimizi yapmadık," diyor Sky ama omuz silkmekle yetiniyor Llew.

"Onu bilmem ama motorlu tekneyi alacağını söyledi," diyor bize.

Sahile iniyoruz ve evet, yalnızca sandal yerinde duruyor.

"Neden sen gitmedin? Veya James?" diye soruyor Grace. "Daha hızlı olurdu."

"Gerçekten istiyorsun gitmemizi, değil mi?" diyor Llew, istifini bozmadan. "Gwil'i yalnız bırakmak istemiyorum henüz. Gücünü hâlâ toplayamadı. Ayrıca bizi almaya gelenler var, şimdilik buradan ayrılmamak bizim için en iyisi. Bunları onunla da konuştuk, bize hak verdi."

Sahilde duran küçük sandala bakıyoruz.

"Anneniz," diyor hafifçe gülüp başını sallayarak. "Takdire değer biri. Onu hafife alıyorsunuz bence."

"Yani arkadaş mı oldunuz şimdi?" diye soruyor Grace, ifadesiz bir suratla. "Bizi neden sizinle bıraksın ki?"

"Bize söylemesi gerekirdi," diyor Sky, yerdeki çakıllardan birini, sonra da bir başkasını sahilin aşağısına doğru tekmelerken.

Llew ellerini havaya kaldırıyor. "İşte," diyor, bana yan yan bakıp. "Evin hanımları sizsiniz şimdilik. Kuralları siz koyuyorsunuz demek oluyor bu."

"Her zamanki düzenimizi sürdüreceğiz," diyor Grace. "Annemiz her an dönebilir."

Llew bakışlarını denize çeviriyor, elini gözlerine siper ediyor. "Artık yetişkinsiniz," diyor, bize doğru dönerek. "Ne istiyorsanız yapın."

Yemek odasına dönünce her zamanki yerlerimize oturuyoruz, olanları düşünüyoruz. Sky masanın üstündeki çatal bıçakla geometrik şekiller yapıyor. Pencereden bomboş sahili seyreden Grace ona durmasını söylemiyor.

"Annemizden uzak kafa dinleyeceğiz," diyor Grace sonunda ve gülmeye başlıyor çünkü hayal etmeye cüret edemediğimiz şey tam da bu değil miydi, kızkardeşlerimizle baş başa vakit geçirmek? Sky ve ben de gülmeye başlıyoruz, kırılıyoruz gülmekten. Sakinleşince dünden kalan ekmekle kalan son balı yiyoruz, kavanozun dibindeki kristalleşmiş bulamacı ekmeklerimize sürüyoruz. Yemeğimiz biterken erkekler geliyor içeri, ellerimizi kaldırıp selamlıyoruz onları. James, Gwil'i omuzlarından tutuyor. Hepsinin keyfi yerinde. Llew bana bakıyor, göz kırpıyor.

Kızkardeşlerimle birlikte annemizi aramam lazım ama Llew'le baş başa kalma fırsatını da kaçırmak istemiyorum. Bir bahane bulmalıyım, ne olursa olsun. *Annemiz her an eve dönebilir,* diyorum kendime, *henüz acil değil durum.* Sevinçli olmama rağmen bize bir şey söylemeden gittiği için ona kızıyorum. Llew lobide, havuz kenarında, ormanda yok. Sonunda onu eski tenis kortunda buluyorum, küflenmiş topları yağmurdan ve yıllanmaktan yumuşamış fileye atıyor. Görüş alanına girdiğim zaman şaşırmıyor, onun yerine bir raket alıp bana atıyor hemen. Yapışkan sıcakta kısa bir süre tenis oynuyoruz, bedenim ağır, temkinli. Biraz sonra bana bakıyor, sonra raketini yere bırakıyor. "Hadi içeri girelim," diyor. Omurgamın boynumla buluştuğu yere, kırılgan kemik düğümüne elini koyuyor.

Odamda, yüksek tavanın altında, havada tozlar oynaşırken bana neden burada olduğumuzu soruyor; atmosfere bile yayılan tehlikeden kaçıp kendimizi güvende tutmaya çalıştığımızı açıkladığım zaman sessizleşiyor. *Konuşmayı bırak, Lia.* Çok fazla şey söyledim. Konuşmak yerine battaniyeleri yere atıyoruz, süslü işlemelerle kaplı, çiçek şeklinde parlak çıkıntılar işlenmiş saten örtüyü kaldırıyoruz. Akşamüstü sıcağında üstümüzdekileri çıkarıyoruz.

Bana dokunması bittiğinde kendimizle ilgili daha fazla şey paylaşıyoruz. Onu hiç bu kadar konuşkan görmemiştim, çok seviniyorum. Duyduğum her şeye karşılık vermeye çalışıyorum. Kolayca sohbet ediyorum onunla.

"Neleri seversin?" diye soruyorum.

Domatesi, yeşil meyveleri, sabah saatlerinde okyanusu, diyor.

"Midye sevmem," diyorum araştırarak, yoklayarak. Kuşların veya kurbağaların ölü kalplerini andıran buruşuk derili keselere benzerler.

"Aa, ben çok severim," diyor.

Göğsümde hafif bir panik. "Nefret etmiyorum ben de," diye geri alıyorum sözümü. "Başka şeyleri yemeyi tercih ederim yalnızca."

Bir bardak su içmek için banyoma giriyorum, tetikte olmak, sorumluluk sahibi bir kadın olmak adına ondan uzakta biraz zaman geçiriyorum, onun soluğunun karışmadığı havayı içime çekmek için başımı pencereden dışarı uzatıyorum. Fazla oyalanıyorum. Gideceğinden korkuyorum, benden ve sözcüklerimden sıkılmış olmasından, başka şeylerle ilgilenmesi gerektiğinden. Ama kapıyı açtığımda hâlâ orada. Örtüyü beline kadar çekmiş, loş ışıkta ortadan ikiye kesilmiş gibi görünüyor.

Onu yanımda tutacak küçük bir kazayı nasıl gerçek kılabileceğimi düşünüyorum. Kırık bir ayak, belki. Cam bir şişeyi yere düşürüp kırıklara basmasını sağlayabilirim. Bedeninin sağlam hatlarını inceliyorum. Hayır, onunki hemen iyileşen türde bir beden, başka bir deyişle bir erkek bedeni.

"Başına gelen en kötü şey neydi?" diye soruyorum. Kral'ın ayağının altındaki tavşanı, ağzımdaki ve burun deliklerimdeki tuzlu toprağı düşünüyorum yeniden.

"Babam öldü," diyor. "Seninki gibi. Yıllar, yıllar önce. Gwil yeni doğmuştu."

"Yaptığın en kötü şey neydi?" diye soruyorum ona sonra.

"Hayır, önce sen anlat," diyor, ben de ona bebeği anlatıyorum. Gözleri telaşla açılıyor. Benim suçum olmadığını söylüyor, sonra bunu tekrarlıyor.

"Kimseyi öldürdün mü?" diye soruyorum ona, sonradan. *Benden daha kötü biri ol.*

"Herkes birilerini öldürmüştür," diyor bana. Ama ben öldürmedim.

"Anakaraya bayılırsın sen," diyor bir süre sessiz kaldıktan sonra. "Bence gerçekten çok seversin." Doğrulup oturuyor, çevresine bakınıyor: yıllar içinde güneş ışığı yüzünden solmuş, çirkin duvar kâğıdı; kumaş kaplı yatak başlığımın hastalıklı pembesi. "Genç bir kıza göre değil burası. Bir yere kapatılacak türde biri değilsin sen."

"Seninle gelebilirim," diyorum.

Gülümsüyor. "Gelebilirsin. Güzel olurdu, değil mi?" Yüzüme uzanıyor.

Sevgi beni burada koruduğu gibi orada da koruyabilir belki. Sevgi dilimi ve solunum yollarımı dişlerini gıcırdatan, çenesinden çıkan gıcırtılar geceleri dalgaların seslerine karışan Grace'e Kral'ın anakaradan getirdiği ağızlık gibi koruyabilir belki. Yeni sevgiler, yeni savunmalar, yeni hayat koruma biçimleri. Bu sevginin neler yapabileceğini henüz bilmiyorum ama yüzünü incelerken –dudaklarının yumuşak kıvrımlarını, yumduğu gözlerini– her şeyi yapabileceğine inanıyorum.

Bahçede tek başıma ellerimle beyaz çiçekler topluyor, saplarını tırnaklarımla kesiyorum. Özütü akıyor, tenimi sarımsı yeşile boyuyor. Taç yaprakları koparıyor, sırtüstü yatıyor, ellerimi kalbimin önünden geçiriyor ve birkaç dakika için ölü taklidi yapıyorum. Güneş gözkapaklarımı yakıyor.

İçimdeki coşkuya rağmen dikkatli olmam gerektiğini hatırlatıyorum kendime. Anakaradaki kadınların duyarlılığına sahip olduğumu biliyorum. Orada olsaydım, işaret ışığı gibi çekerdim erkekleri kendime. Bunu Llew'den saklamam önemli, böylece zarar vermek zorunda kalacağı değil sevebileceği biri olduğumu bilir. Annemizin ve Kral' ın sınırlarımız ötesindeki sevgi hakkında bize öğrettikleri bunlar.

Zihnimin uzak bir köşesinde, bir şeyler yapmam gerektiğini biliyorum. Sandalı alıp açılabildiğim kadar açılmalı, bir yandan dibine dolan suları kürekle boşaltmalı, basık havada dürbünle bakıp annemizin dönüşünü beklemeliyim. Bu yıl çekilişte onu ben seçtim, benim en sevdiğim o. Bu da bana bir tür sorumluluk yüklüyor. Ama gitmiyorum.

Onun yerine havuzun kenarına gidiyorum. Sky ile Grace şezlonglarını denizi en güzel yerden görecek şekilde yan yana çekmiş, baş başa vermiş, kol kola girmiş, yatıyorlar. Yüzlerinde *Nerelerdeydin?* sorusu okunuyor ama suçluluk duymayı reddediyorum. Erkekler ve Gwil havuzun diğer ucunda toplaşmışlar. Ciddi konulardan söz ediyor gibi görünüyorlar, bu yüzden onları rahatsız etmek istemiyorum ama Llew bana bakıp elini sallıyor, adımı söylüyor. Ben de el sallıyorum. Kızkardeşlerimin yakınındaki nane yeşili çizgili, en temiz şezlonga gidip solgun renkli eteğimi dizlerimin üstüne çekiyor, oturuyorum. Güneş gözlüğümü yüzüme takmak, omuzlarımdaki askıları indirip arkama yaslanmak, bakışlarının su gibi, hak ettiğim bir şey gibi üzerimde dolaştığını hissetmek kolay.

Yaz ortası güneşinin altında orada yatarken çok geçmeden sıcaklamaya başlıyoruz ama kımıldamıyoruz, sabahki şoktan sonra halsiz ve baygınız. Hava akşam çökerken bile basık, tepemizde koyu mor renkli bulutlar birikiyor ama sıcak azalmıyor. İlk iri yağmur damlası düşene kadar dışarıda oturuyoruz, sonra birlikte içeri koşuyoruz. Kızarmış yüzlerimizle lobide duruyoruz, kızkardeşlerim mayolarının üstüne elbiselerini geçirirken erkekler onlara bakıyor. Grace'in karnı bebek yüzünden hâlâ şişkin ve yumuşak.

Erkekler akşam yemeğini hazırlamayı teklif ediyor. Grace gönülsüzce kabul ediyor teklifi. Yağmur hafifleyince Gwil'i dışarıdan istiridye ve kabuklu deniz ürünleri getirmeye yolluyorlar, sahil boyunca koşan çocuğun neşeli çığlıkları geliyor açık pencereden. Üçümüz daha önce pek çok kez yaptığımız gibi kendiliğimizden Grace'in odasına çekiliyoruz, yatağına uzanıyoruz ama Grace hemen doğrulup oturuyor, aklına bir şey geliyor. "Hadi annemizin odasına gidelim," diyor. "Orası daha güzel."

Annemizin dolapta asılı giysilerini yeniden inceliyoruz, dolabı antiseptik ve bahçeden getirdiği lavantalar gibi kokuyor. Sonra banyosundaki dolaba, kahverengi ilaç şişelerine, beyaz kutuların içindeki haplara, kutuların üstüne kırmızı harflerle yazılmış ilaç adlarına bakıyoruz: Tramadol. Olanzapine. Diazepam. Grace yüzünü buruşturarak bu adları okuyor, bize hiçbir şey ifade etmiyorlar. Üçümüz yatağın altını kontrol ediyoruz, Sky'a kolunu gölgelerin arasına sokmasını söylüyoruz. Geri çektiğinde kolu toz kaplı. Annemizin çekmecesindeki iç çamaşırlarını sayıyoruz, komodin çekmecesinde bir cımbız ve tükenmiş bir adak mumundan başka bir şey bulamıyoruz.

"Ne zaman dönecek?" diye soruyor Sky, araştırmamız bittikten sonra yan yan yatağa uzandığımızda.

"Bilmiyorum," diyorum, bakışlarımı tavana dikip bronz saplı tavan lambasının bulanık camına bakarken.

"Yakında," diye avutuyor Grace onu. "Yakında."

Yağmur yeniden, bu kez daha şiddetli yağıyor. Göğsümde enerji birikiyor. Kızkardeşlerim solgun ışıkta uyuyakalıyorlar. Uyanmayacaklarından emin olunca kalkıp koridordan kendi odama, kendi banyoma gidiyorum. Pencereyi açık bırakmıştım; yağmur yer karolarını, duvarları ıslatmış. Pencereyi kaparken, dalgaların her zamankinden daha büyük olduğunu görüyorum. Lobinin ve yemek salonunun cam kapılarına tuzlu kalıntılarını bırakacaklar. Sonunda bir gün alt edecekler bizi; sular halılarımızı küf kaplayıp parkelerimize işleyecek, duvar kâğıtlarında gelgit izleri kalacak. O zamana dek buradan çoktan gitmiş olmayı umuyorum.

Boğulma oyunu için fırtına çok şiddetli ama duygularım dayanamıyor, bedenim suya gömülmek istiyor. Ben de muslukları açıyorum, su akarken soyunuyorum. Suyun ısısını kontrol ediyorum, ılık olsun, havayla denizin arasında bir yerde olsun istiyorum. Küvet dolunca içine giriyorum, arkama yaslanıp suya dalıyorum. Yüzeyin altında fırtınanın sesi de duyulmuyor.

Yalnızlık yıllar içinde bedenimi değiştirmiş olmalı. Şekli bozulmuş, işini yapamayacak hale gelmiş kalbimi düşünüyorum, annemizin bacaklarını kaplayan düğüm düğüm mor damarlardan yapılmış olduğunu hayal ediyorum. Beynimin kanallarında karanlık sular, ellerim kaskatı. Kırmızı ve ıslak ciğerlerimdeki hava boşaltılmış.

Çok geçmeden nefesim tükeniyor. Düşüncelerim düz, beyaz bir çizgiye dönüşüyor. Artık dayanamayacağımı anladıktan sonra bir saniye daha bekliyorum ve soluk soluğa suyun üstüne çıkıyorum – yine hayatta kaldım, kurtuldum, kulaklarım çınlıyor, gözlerim kararıyor, dışarıdaki rüzgâr daha sessiz, kulaklarıma dolan kanın gürültüsü fırtınayı bastırıyor.

Küvette, artık soğuyan suyun içinde bir süre daha yatıyorum, kendimi hazır hissedince kızkardeşlerimin yanına dönüyorum. Hâlâ uyuyorlar. Grace'in gözlerinin altında yeniden mor halkalar belirmiş; Sky da solgun görünüyor. Bir sorun var bizde, bir şeylerimiz yanlıştı hep. Bana kalan yeri buluyorum, aralarına dönüyorum. İki yanımda kızkardeşlerim mırıldanıyor, yeniden derin uykuya dalıyorlar. Hafif nefesler alıyorum, göğüskafesimin altında ağrı, saçlarım ıslak. Sabırla annemizin dönüşünü bekliyorum ama bir ağızdan bizi akşam yemeğine çağıran erkeklerin sesini duyduğumda annemiz hâlâ yok. İki erkeğin pes sesini ve Gwil'in ilk defa yükselttiği tiz sesini duyuyorum, artık gücünü toplamış gibi çıkıyor sesi. Kızkardeşlerimi uyandırıyorum, birlikte sessiz evde yürüyoruz, ışıkları yanan yemek salonuna girmeden önce birlikte koridorlarda yürürken üçümüzün bir olduğunu hayal ediyorum.

Akşam yemeğinden sonra, yataklarımıza girmeden önce son bir sevinç patlaması. Yastığımın üstünde bahçeden toplanmış küçük bir çiçek demeti. Mor ve sarı yapraklar şimdiden hafifçe solmuş. Onları saklamak istiyorum ama kendimi zorlayıp çöpe atıyorum, üstlerini kâğıt mendille örtüp çiçekleri gizliyorum, güvenlik için.

*Üç ay boyunca zarafetle yasını tuttum, sonra bir kart-postal geldi. Ön yüzünde domates kırmızısı fırfırlı elbise giymiş bir kadın vardı. "Hayattayım, beni merak etme," yazıyordu arkasında. Ellerim tir tir titremeye başladı, zehirli nesneyi hemen çöp yakma fırınına attım, dumanını solumamaya özen gösterdim.*

Annemizin yokluğundaki ikinci gün, fırtına dalgalarının sahile taşıdığı inanılmayacak kadar çok sayıda şeye bakıyoruz. Halatlar ve yosun. Üstleri kum kaplı büyük ve küçük kayalar. Üçümüz sahilde dolaşıyor, işe yarar bir şeyler arıyoruz. Sky süt rengi bir denizanası bulduğu zaman geri çekiliyoruz yalnızca, korkunç bir an için bir hayalet veya bir hayaletin parçası sanıyoruz onu, annemiz olmadan her an tehlikede olduğumuzu hatırlıyoruz. Sahilde bize güvenli gelen bir yere kaçıyor, bir süre titriyor, biraz da ağlıyoruz, ellerimizi birbirimizin omuzlarına koyuyoruz, kızkardeşlerim bana bile dokunuyorlar.

"Haydi sınıra gidelim," diyor Grace, bir süre bağdaş kurup kumlarda oturarak kendimize geldiğimiz zaman. Ayağının yanındaki çakıltaşlarından birini alıp denize atıyor ama taş suya ulaşmadan kumlara düşüyor. "Belki yardım edecek birini buluruz."

*Kimi?* diye sormuyorum, onunla gidiyoruz. Yerden topladığı çakıltaşlarını ceplerine dolduruyor. Ormanda yeşilliklerin arasında dikkatle ilerliyoruz. Sınırda, onu durdurmamıza fırsat kalmadan elindeki çakıltaşını var gücüyle tel örgüye fırlatıyor Grace.

"Orada kimse var mı?" diye haykırıyor. İki elimle ağzını kapatıyorum ama direniyor, birlikte yere devriliyoruz. Sky elleriyle başını örtüp siniyor ama bir şey olmuyor. Yapraklar, ağaçlar kımıldamıyor bile.

"Neden yaptın bunu?" diye soruyorum soluk soluğa ayağa kalktığımız zaman.

Başını sallıyor. "Onları seviyorsun. Erkekleri seviyorsun."

Öfke. Başını kolumun altına kıstırıyorum. Sendelerken tel örgüye, kesin ölüme fazla yaklaşıyoruz, ancak o zaman duruyoruz.

"Bana ne cüretle dokunursun," diyor kızkardeşim; sesi zehir gibi.

Üçümüz dökülen yapraklarla kaplı toprağa oturuyoruz. Nefesim yatışıyor, Grace'e dik dik bakıyorum. Az sonra cebinden katlanmış beyaz bir kumaş şeridi çıkarıyor, eski bir yatak örtüsünden kesmiş bunu. Bir ucunu bana, diğer ucunu Sky'a veriyor, biz şeridi gererken çakısıyla kumaştan küçük parçalar kesiyor. Bu minik şeritleri ağaç dallarına, hatta cüretkârca tel örgünün daha az paslı bir yerine bile bağlıyor. Annemiz dönüş yolunu bulabilsin diye, diyor. Ya da müttefiklerimiz, başka kadınlar saflarımıza katılabilsin diye. Zira kuşkusuz dışarıda bir yerdeler.

"Bunu daha önce yapmamız gerekirdi," diyor Grace, düğümleri atarken. "Kral öldüğünde yapmalıydık bunu."

Sky titriyor. Annemiz *öldü* sözcüğünü kullanmıyor babamız için. Yalnızca *gitti* diyor. Grace durumu fark ediyor.

"Öldü, öldü, öldü!" diyor. "Söyle Sky, hadi. Söyle. Kral öldü."

"Kral öldü," diyor Sky, kuşkuyla. Yerden aldığı dalla toprağa bir çizgi çekiyor.

"O kadar zor değilmiş, değil mi?" diyor Grace. Elindeki son kumaş parçasını bağlayıp eserini seyrediyor.

Annemizin dönüşünü gözlemek için terasa çıkıyoruz. Gözlerim bulanana, avuçlarımı gözlerime bastırıp yere yatmak zorunda kalana dek dürbünle denize bakıyorum. Benden sonra kızkardeşlerimden biri sürdürüyor nöbeti. Bir süre böyle zaman geçiriyoruz.

Akşamüstü balo salonundan belli belirsiz terasa ulaşan müzik sesini duyunca kardeşlerimden izin istiyorum. Grace omuz silkiyor. "Keyfin bilir," diyor. Bakışları başka yerde.

Llew bu kez hüzünlü bir melodi çalıyor. İçeri girdiğim zaman dönüp gülümsüyor, ellerini tuşlardan çekmeden duruyor.

"Duyup geleceğini umuyordum," diyor.

Ayağa kalkıyor, piyanonun kapağını indirip yanıma geliyor, avuçlarını yanaklarıma koyuyor; dokunuşuna alışmaya başladım.

Bu kez odama gittiğimizde tırnaklarımla tepkisini ölçmek için sol kulağını çekiştiriyorum. Dikkatle ısırıyorum onu. Öfkelenmiyor ama bedeninin baskısı artıyor hafiften. Zayıf yerlerini arıyorum, ne olur ne olmaz diye. "Hey," diyor sonunda, anlayışla. "Canımı yakıyorsun."

*Güzel*, diye düşünüyorum.

Saçıma dokunuyor. Kalbim kırık bir el gibi şişip iki katı oluyor, hassaslaşıyor.

*Yalnız kızkardeşlerinizi sevin.*

Llew gidince annemizin odasına girip bir süre yatağına oturuyor, demirlere bakıyorum. Onları parlatmak, tozlarını almak sevgisiz kalanın görevi. Daha sık yapmam gerekiyordu bunu. Annemizin komodin çekmecesinde bir kutu cila ve bir bez parçası duruyor. Bunları alıp işe koyuluyorum.

Kral'ınkiyle fazla uğraşmıyorum. Yaşayanların sevgiye daha çok ihtiyacı var; bu konuda kendi kararımı verebilirim. Sıra anneminkine gelince ona çok özenli davranıyorum, dibine sular dolan tekneyle okyanusun ortasında olduğunu, dalgalar gibi üstüne çullanan rüzgârın karşısında iki büklüm olduğunu hayal ediyorum. İki gün. *Duamız annemizin sağlığı için.* Odadan çıkmadan önce kendimle iddialaşır gibi demirlere teker teker dokunuyorum.

Belki de annemiz bir süre dönmeyecektir. Belki de şu anda hissettiklerim geçecek, bir rüya veya ağrı gibi geride kalacaktır, belki de istediğimi elde etmeye alışkın olmadığım için bu kadar güçlüdür hislerim. O döndüğünde kendime gelmiş olabilirim. İyi bir kız olursam.

Yeniden ateşimi ölçüyorum, sıcak suyla iyice yıkanıyorum. Bunca zaman hayatta kaldım, kalmadım mı? Fakat açlıktan kıvranan, terbiye edilip iyice uyuşturulan duygularım hâlâ göğsümde çiçekleniyor.

Yeni dua: *Ne olur bundan bıkıp usanayım. Lütfen*, diye düşünüyorum düzensiz atan, yükselip alçalan nabzımla. *Yakında bıkayım.*

Kanlı ay var. İskelenin sonuna kadar yürüyüp tahtalara uzanıyor, oradan ayı seyrediyorum. Onunla baş başa kalmak istiyorum, elimi uzatsam küresine dokunacakmışım gibi yakın görünüyor. Başımın altındaki su kütlesinin sesi kulaklarıma doluyor. Akıntısına karşı kürek çektiğimiz simgelerin sayısı beni hasta ediyor, gökyüzünün, denizin ve karanın sınırları öyle geçirgen ki.

Kızkardeşlerimle birlikte olma zamanı şimdi; gidip onları çağırmam gerektiğini, ellerinden tutup onları da ayı seyretmeye getirmem gerektiğini, böylece birlikte sessizce iskelenin tahtalarına oturup olacakları düşünmemiz gerektiğini biliyorum. Yalnız kalmak istiyorum ama sonunda kendiliklerinden geliyorlar yine de; beyaz suretleri iskeleden bana doğru yaklaşıyor, çıplak omuzlarına pamuklu yünden ağır şallar sarmışlar. Bir şey söylemeden yanıma yattıklarında gitmek için doğruluyorum ama Sky kolumu yakalıyor. "Kal," diyorlar bana, sırayla. "Lütfen." Yumuşak ve bilinebilirler yeniden. Canları istediği anda böyle olabiliyorlar.

Başlarımızı kaldırıp gökyüzüne bakıyoruz, kollarımızı ve ellerimizi göğe uzatıyoruz, annemizin öğrettiği gibi dua ediyoruz. Çevremizde hava karanlık.

James'in yaklaştığını az kalsın duymayacaktık ama gıcırdayan tahtalar onu ele veriyor, doğrulup oturuyoruz. Gözleri sulanmış, benzi solgun. Llew'e o kadar çok baktım ki James'e bakmak düş kırıklığı yaratıyor. Beni ve kızkardeşlerimi birbirimizden ayrı mı görüyor yoksa aynı ağacın dalları olduğumuzu, biraz farklı boylarımız, ayın kızıl ışığıyla aydınlanan koyu renkli saçlarımızın dalgaları ve tonu haricinde ayırt edilmez olduğumuzu mu düşünüyor merak ediyorum.

"Ay neden böyle, biliyor musunuz?" diye soruyor bize. Sesi kaba, endişeli. Boğazını temizliyor.

"Kanlı ay bu," diyor Grace.

"Yalnızca toz," diyor James ona. "Atmosferdeki toz." Karşılık vermiyoruz. Boynunda asılı bir şeyi çekiştiriyor kaygılı parmakları.

"O nedir?" diye soruyor Sky.

"Bu mu?" diyor James, boynunda asılı şeyi göstererek. Kaldırıp bize doğru tutuyor onu. "Çarmıh bu." Zincirin ucunda gümüş bir haç.

"Ne işe yarıyor?" diye soruyor Sky.

"Dua etmeye," diyor James. "Korunmaya. Siz kızlar da dua ediyorsunuz, değil mi?" Hızla, tereddütle gülümsüyor.

"Ediyoruz," diyor Grace.

"Şimdi dua edebiliriz. Birlikte," diyor. "İsterseniz."

"İstemiyoruz, teşekkür ederiz," diyorum.

"Hayır," diyor Grace. "Ama bir süre bizimle burada oturabilirsin."

Kenara kayıp ona iskelede yer açıyoruz. Rahatsız olmuşa benziyor James. Bakışlarımızı yüzüne dikiyoruz. Bir kez olsun üstünlüğü ele geçirdik. Göğsümde hissediyorum bunu. Canını yakacak şeyler yapabiliriz. Karşı koyamayabilir; kendini bizden nasıl koruyacağını bilemeyebilir. Daha kuvvetli dalgalar iskeleye çarptıkça tenimize incecik serpintiler iniyor.

"Annemiz döndü mü?" diye soruyor Sky ona.

"Hayır," diyor James. "Az kaldı gelmesine. Bence yarın gelir."

Düş kırıklığına uğrayan Sky, Grace'in omzuna yaslanıyor. Grace onu alnından öpüyor, saçını düzeltiyor.

"Kral birkaç günde gidip geliyor," diyor ve duraksıyor. "Gidip geliyordu. Sorun yok yani. Paniğe kapılmamıza gerek yok."

James başını sallıyor.

Gökyüzünde kayan bir yıldız görünce sessizleşiyoruz. Diğerleri bakmayı bıraktıktan sonra bile kırpışarak gözden kaybolana dek bakışlarımla onu takip ediyorum. Milyonlarcası içinde bir yıldız; kendi ışığını yansıtan bir alev, kuyruğu tozdan. Çok uzakta ama gökyüzüne uzanmak, çekip almak istiyorum onu yine de. Ellerimin arasında tutmak, parçalara ayırmak, bana ait olmasını sağlamak istiyorum.

Hasarlı kadınlardan birine yalnızca bir kez yaklaşmıştım, uzun zaman önce, saunanın hâlâ çalıştığı günlerde. En fazla on-on bir yaşındaydım. Onlardan biriyle nadiren yalnız bırakılırdık. Bu seferki de tesadüf değildi herhalde. Kadın öksürerek oturduğu yerde kımıldanıyordu. Kadınların çoğu gibi onun da bedeni zayıf düşmüş görünüyordu, gelişememiş bir yaratıktı. Topallayarak ormandan çıkan bir şeye bakar gibi dikkatle seyrettim onu. Sauna çok sıcaktı ama avuçlarına doldurduğu suyu sıcak taşlara döküyordu. Sağlıklı çocuk bedenim kolayca terliyordu. Kadın arada bir hafifçe inliyor veya ağlıyordu. Onu duymamış gibi yapıyordum.

Sizi öldürmek isteyen bir dünyada yaşamak nasıl bir şeydi? Her nefesinizin hakaret sayıldığı bir dünyada? O gün sormalıydım ona bunun nasıl bir şey olduğunu. Arada bir ağzına tülbent bastırıyordu ama görebildiğim kadarıyla kan yoktu ortada. Acılı bakışlarını üzerime diktiği zaman endişeleniyordum.

O akşam hep birlikte balo salonunda toplandık. Kadınlardan birinin su kürüne hazır olduğu ilan edilmişti, bedeni antrenmanlı ve açıktı. Kral duvarın dibine konmuş bir sandalyeye, kadınlarla arasında fiziksel bir bariyer oluşturan piyanonun arkasına oturdu. Dört veya beş kişiydiler, çoğu ona alışmış, onu görünce irkilmez olmuştu ama Kral mesafesini nazikçe koruyordu.

Hepimiz yerlerimize oturduktan sonra annemiz girdi içeri. Doğruca kadının yanına gitti, ellerinden birini omzuna koydu, ayağa kalkması için bir işaretti bu, kadını alıp ön tarafa getirdi. Büyük tedavi leğeni suyla dolu onları bekliyordu, tuz kavanozu her zamanki gibi yanında yerde duruyordu. Annemiz iki avucuna tuz doldurdu ve elleriyle sarmallar çizerek tuzu suyun yüzeyine serpti, hareketleri zarifti. Denizden daha tuzlu ve koyu kıvamlı su, kanımıza yakın bir şeye dönüşmüştü. Kadın zorlukla diz çöktü, mavi elbisesinin kumaşı gerildi. Annemiz ellerini birleştirdi, yüzünü yavaş yavaş suya yaklaştıran kadının ensesine koydu. Odadaki bütün lambalar yanıyordu.

Zaman geçti, geçti. Kadının bedeni başta itaatkârdı ama çok geçmeden yere yasladığı elleri seğirmeye, sonra yerleri dövmeye başladı. Doğrulmaya çalışıyordu. Kadın çırpındıkça leğenden taşan su annemizin elbisesinin önünü ıslatıyordu. Annemiz tepki vermedi. Nefeslerimizi tutup bekledik. Ve sonra, her zamanki gibi, artık bittiğinden emin olduğumuz an geçer geçmez annemiz kadını çekip sudan çıkardı, yüzü çilek gibi kızaran kadın nefes nefeseydi. Yere devrilecekken annemiz kollarıyla destekledi onu. Kardeşlerimden biriymiş gibi şefkatle beyaz bir havlu sardı omuzlarına.

Tedavi edilen kadın ayağa kalktı, diğerleri de ayağa kalkıp şevkle alkışlamaya başladılar. Arkalarında oturan biz kızkardeşler de alkışladık. Babamız yalnızca izledi, oturduğu yerden kalkmadı, bu atmosfere ait olmadığını biliyordu. Histerinin kıyısından geçen bu an, kurtarılmışlık duygusu. Kadın elinde yere sarkan beyaz havluyla yerine dönerken ağlıyordu. Sevinç, şok veya ikisi birden olabilirdi ağlamasının nedeni. Şimdi merak ediyorum, farkı hemen hissetmiş miydi acaba? İçinde bir yerde yeni bir güç çekirdeği canlanmış mıydı ve bu güç anakarada göze çarpan bir işarete mi dönüşecekti yoksa onun kusursuz ve aydınlık bilgisini içinde saklayarak yaşayıp gidecek miydi?

O zamanlar o hasarlı kadının başından geçenleri hemen hiç bilmiyordum ama çok sonraları Ziyaretçi Defteri'nden öğrendim olanları. Erkekler neden bir şey yapmamıştı? Bunu merak ettim, sonunda gerçeği öğrendiğimde. Neden bazı şeyleri kolaylaştırmamışlardı? Ama o zamanlar, leğendeki şifalı suyun başından kalkıp yerine doğru yürüyen kadını seyrederken güç, sevgi veya sırf alabildiğiniz için her şeyi almak konusunda hiçbir şey bilmiyordum. Nereden bilecektim ki, bana öğretilenler arasında yeri yoktu, gerekli bir bilgi değildi. "Bazen bilmemek daha iyidir," derdi annemiz. O zamanlar bildiğim kadarı bana yetiyordu.

*Bir yabancıyla buluşmak aptallıktı ama insanların özünde iyi olduğuna o zamanlar hâlâ inanıyordum, hâlâ çok masumdum, dünyaya pek maruz kalmamıştım. Her şeyin ne kadar hızlı değiştiğini anlamıyordum, tek gerekenin her şeyin mahvolmasına izin verilmesi olduğunu ve bu iznin çoktan verildiğini. Artık erkeklerin bedenlerini kontrol altında tutmasına veya önemli olduğumuz yalanını sürdürmesine gerek kalmadığını bilmiyordum.*

Annemizin yokluğundaki üçüncü gün erkenden uyanıyorum. Berrak bir sabah, sıcak geçecek günün habercisi. Terasta duruyor, sessiz koyun tuzlu havasını içime çekiyorum. Aşağıda, havuzun suyuna bir şey çarpıyor. Parmaklıklara yaklaşınca uzun beyaz elbiseli birini görüyorum – işlemeleri ve kurşun ağırlıklarıyla boğulma elbisesini hemen tanıyorum. Havuzdan çıkıyor. Siyah saçları ipler gibi omuzlarına yapışmış Grace bu. Yüzündeki ifadeyi bu kadar uzaktan göremiyorum.

Ben onu seyrederken havuzun sığ kenarına yüzüyor ve kenara tutunup bir süre dinleniyor, havayı yutar gibi derin derin nefes alıyor. Sonra yeniden derin tarafa gidiyor ve suyun altına dalıyor. Saniyeleri sayıyorum. Can havliyle su yüzüne çıkıyor. Yeniden dibe dalıyor. Benim hissettiğim hazzı, bitiş noktasına ulaşma, sınırı zorlama hissini yaşıyor gibi görünmüyor.

Hareketleri hızlanıyor, yavaşlamıyor. Belki de kaybettiği zamanı telafi ediyor, bedeni yeniden ona ait, istediği gibi kullanabilir onu. Üçüncü seferden sonra izlemeyi bırakıyorum, utanıyorum. Neye ihtiyacı varsa yapsın diye bırakıyorum.

Mutfağın ortasında duruyorum. Açık kapıdan içeri

deniz havası doluyor. Narenciye ağaçlarının kokusu geliyor, gerçi bir süredir yetiştirmiyoruz onları. Arazi onları desteklemeyi bıraktı; toprak inceldi, mineraller yok oldu. Eskiden portakallarla limonları tıbbi dilimlere ayırırdık. Onları hasarlı kadınlara verir, ağızlarına sokmalarını ister, kadınları uzun süre öyle bekletirdik. Meyvelerin suyu çenelerinden, boğazlarından aşağı akardı. Bazen birbirimize de yapardık bunu.

Llew paslanmaz çeliğe, tozdan ağırlaşmış çatlak beyaz boyaya düşen bir gölge. İki kolunu birden belime doluyor, çenesini başıma yaslıyor, odaya nereden nasıl geldiğini bilmiyorum bile. Bana sarılıyor ve birinin bana sarılmasına alışık değilim. Bizi kimse görmedi, yakalanmak istiyor muyum istemiyor muyum emin değilim. Bir felaket olurdu bu; aynı zamanda en azından birisi bu duruma şahitlik etmiş, yaşananların gerçek olduğunu, benim başıma geldiğini doğrulamış olurdu. Adım seslerini duyunca beni bırakıyor. Mutfağa giren Grace bizi görünce duruyor ama Llew'ün elleri üzerimde değil artık, ispatlanacak bir şey yok. Aşk bu kadar kaypak olabiliyor; dokunmakla dokunmamak arasındaki fark, hata yapan bellek, şimdiden unutan ten. Grace'e avuçlarını gösteriyor, ellerini görebileceği yere koyuyor. "İkinize de günaydın," diyor, o gün bana ve Grace'e söylediği ilk sözcükler bunlar.

Ne anlama gelebileceğini sık sık düşünüyorum. Önemini bir bulut gibi çevresinde taşıyor. Her öksürüğü, her bakışı bana bir şeyler anlatıyor. Elleri, yeniden. Bu kez kahvaltı masasına koymuş onları, parmaklarının arasından beyaz masa örtüsü görünüyor, Grace tabaklarımıza meyve koyarken yanımda oturuyor. Dizi benimkine değiyor, diğerleri bulaşıkları mutfağa taşırken yanımda oyalanıyor. Tesadüfi değil bekleyişi. Kolumu tutuyor, beni merdivenlerden yukarı götürüyor. "Haydi gel," diyor.

Bedenim onu sevince boğuyor. O da başkasının bedenini yakından görmemiş daha önce sanki.

Fakat yeni tehlikeler sabun köpüğü gibi yükseliyor yüzeye. Nefesinde bakırımsı bir acılık var. Birkaç dakika yatağımda kestirdiği sırada ağzından verdiği nefeslerin kokusu odayı dolduruyor. Başımı diğer yana çeviriyorum. Yeniden canını yakmak istiyorum, hayatını kurtarmak veya mahvetmek istiyorum, bir şey istiyorum, ne olursa, henüz karar vermedim. Benim onayımı almak için balık gibi havaya sıçrasın istiyorum, koşulları bizzat belirlemek istiyorum ama denediğim zaman, yakınlaşmak için küçük hamleler yaptığım zaman yeterince tepki vermiyor.

Daha sonra deniz kıyısına iniyoruz, ufku işaret ediyorum, tehlikeye rağmen ayak bileklerine kadar suya giriyor. Peşinden gitmeye hazırım, hayatım boyunca edindiğim bütün güdüler silindi bile. Sahilde ayaklarımı yere sağlam basarak duruyor, bedeninin suyun altına çekilmesini bekliyorum. Ama kendimi kandırmıyorum. Kurtuluyorşam tek nedeni benden doğrudan talepte bulunmaması, elini uzatıp yalvarmaması.

Havuz kıyısında erkeklerin tarafında yatıyorum artık. Onlara yakın durmamın sorun olmadığını, bedenimin daha farklı hissetmediğini keşfettim. Gözlerim kızarmıyor. Kulaklarım da kanamıyor. Ama kızkardeşlerim onları davet ettiğim zaman bile bana eşlik etmiyorlar. Grace cevap vermeye tenezzül bile etmiyor; yüzünde çıldırtıcı küçümseyen gülümsemesiyle bana bakıyor, sonra başını çeviriyor. Onları terasta bırakıp havlumu alıyor, havuz kıyısına gidiyorum. Şezlongumu James'le Llew'ün arasına yerleştiriyorum. James küçük esprilerine beni de dahil ediyor, şakalarını anlamıyorum ama gülümsüyorum yine de.

Llew içeri girip annemizin hasta olduğumuzda veya tecrit edildiğimizde kullandığı emaye tepsiye koyduğu içkilerle geri dönüyor. Bir tür alkol ve konserve meyve suyu karışımı. Birden geçmişi anımsıyorum: büyük aşkla, küçük öfkeyle birbirlerine giren annemiz ve Kral; yarım yamalak hatırlanan bir rüya sahnesi gibi. Bir an gözlerimi yumuyorum, kendimi topluyorum. Asıl rüya önümde uzanan günler; sıcak sütün üzerinde toplanan kaymak gibi pürüzsüz ve bulutsular. Fazla net düşünmek, yakından görmek istemiyorum.

James başka yöne bakarken Llew ayağıma dokunuyor. Sırtımı güneşlendirmek için yüzüstü yatıyorum ve ikisinin de beni seyrettiğini biliyorum, varlığımın doğrulanması mahcup ediyor beni. James de dokunuyor bana, koluma, babacan bir tavırla. "Sen bizim dostumuzsun, değil mi?" diyor. "Bizim küçük dostumuz." Dili sürçüyor konuşurken. Onlardan korkmuyorum.

James suya girince Llew saçımı çekiyor, eline doluyor. "Güzel," diyor kulağıma. Boynumu ısırdığı zaman histerik kahkahalarla gülmeye başlıyorum; James durup ayağa kalkıyor, bedeninden süzülen sularla bizi seyrediyor ama bir şey söylemiyor.

Havuzda önceden geçirdiğim, sevgi dolu ve sevgisiz günler. Atletik bir şekilde suda ilerleyen Kral, attığı kulaçlar, gözlerimizin önünde giderek parlayan teni. O havuzdayken bizim yüzmemize izin yoktu; yavaşlığımız onu çileden çıkarırdı. Bazen güneş gözlüğümün arkasında, kimsenin göremeyeceği yerde ağlardım. Hasarlı kadınlar genelde evden çıkmazdı. Havaya sadece günün erken saatlerinde, şafak sökerken, nefes almak daha kolayken güvenirlerdi.

James bir bardak su almak için içeri girince Llew

elini bana uzatıyor, kolumu tutuyor. Hava kupkuru, sıcak hava boğazıma takılıyor. Güneş gözlüğünü çıkarmadan, yüzünde Kral'ın gözlüğüyle ağzını açıp beni öpüyor, sonra havuza atlıyor. Körlemesine peşinden atlıyorum. Güneşte ısınmış suyun altında perendeler atıyorum tekrar tekrar. Llew beni bacaklarımdan tutup dibe çekiyor, yüzeye çıkmaya çabalamıyorum, ağırlıksız bedenimi serbest bırakıp, *Ne istersen yap ne istersen yap ne istersen* diye düşünüyorum.

Ben suyun altında uzanmış keyifle yatarken yüzeyde bir gürültü kopuyor. Llew suda debeleniyor. Beni kollarına aldığında hemen ona karşılık veriyor, kollarımı boynuna doluyorum ama yüzeye çıktığımda paniklemiş olduğunu görüyorum. James havuzun kenarında durmuş, bize bakıyor.

"Bir sorun olduğunu sandım," diye bağırıyor Llew, beni bırakarak. "Neden öyle yaptın? Seni boğdum sandım." Suda ayağa kalkıyor, üzerime eğiliyor. Sesi iyice yükseliyor. "Neye benziyordu biliyor musun? Buna şaka mı diyorsun sen?"

"İyiyim ben," diyorum. Kendimi unutmuşum. Onun tarafından suyun altında tutulmak huzur verdi bana. Değişmez durağanlık, sulardan dibe sızan ışık.

"Sakin ol Llew," diyor James. "Kimseye bir şey olmadı, değil mi?"

Llew kendini sırtüstü sulara bırakıyor, boğazına kadar havuza gömülüyor. "Sakın bir daha öyle bir şey yapma," diyor bana.

"Özür dilerim," diye karşılık verip sudan çıkıyorum. Gözlerindeki yeni bakıştan hoşlanmıyorum, sanki ona kendim hakkında gizli kalması gereken bir şeyi açık etmişim gibi bakıyor bana.

Çok geçmeden James güneşin altında uyuyakalıyor,

kolunu gözlerini ışıktan korumak için alnına atmış. Hışırtılı nefesini dinliyorum; inip çıkan göğsüne, kızaran derisine bakıyorum.

"Hadi ormana gidelim yeniden," diye fısıldıyor Llew muzip bir sesle. Beni affettiği için ahmakça bir minnet duyuyorum ona. Sandaletlerimden birini bana doğru atıyor, onu yakalayayım derken az kalsın devrilip düşüyorum. "Çabuk!" James'e bakıyor. "Şu moruk uyanmadan gidelim."

Çakıllı zemininden ormana doğru yürürken arkama bakıp pencerelerden birinde Grace'in yüzünü arıyorum ama orada olsa bile onu göremezdim zaten; camlar güneş ışığını yansıtıyor ve bir bakışta sayamayacağım kadar çok pencere var. Herhangi birinin arkasında olabilir.

Ormanda görülmeyeceğimizden emin olana dek sınıra doğru ilerliyoruz. Sınıra huzursuzluk verecek kadar yakınız, en azından ben huzursuz oluyorum ama onun beni koruyacağına güvenmek zorundayım ve bunu yapmak giderek kolaylaşıyor. Llew havlusunu getirdi ama dallar ve taşlar batıyor tenime yine de. Ellerimle dizlerimin üstündeyim, tenimin hemen moraracağını, ince tenli ve kolay incinir olduğumu biliyorum ve içten içe bundan hoşlanıyorum; kanıtlardan, bu yeni hazzın haritasından. Dengemi korumakta zorlanıyorum, alkol ormanın duruşunu, benim duruşumu etkiliyor.

Sonradan çok mutlu oluyorum. Ormandaki yapraklar da mutluymuş gibi çevremizde fısıldaşıyor. Sevmek, bütün dünyanın yanınızda olduğunu hissetmek güzel. Ben havluya uzanıp yatarken Llew çevrede dolaşıyor, etrafa taş atıyor, yaprakları inceliyor. Gölgede bile, esintiye rağmen sıcaklık dayanılmaz. Onlar geldiğinden beri havalar daha sıcak, bunu hayal etmediğime eminim.

Llew yanıma, gölgeye uzanıyor, kenara kayıp başımı karnına yaslıyorum. Dalgın dalgın yüzüme dokunuyor, parmaklarını bir an için ağzıma sokuyor, çenemi avcuna alıyor. Dış dünyadan söz etmeye başlıyorum ve sıkılmış bir sesle ne bilmek istediğimi soruyor. Aklımdan geçen soruları yüksek sesle söyleyemiyorum, *Çocuk sahibi olmak nasıldı? Başka çocukların da olacak mı? Genç olmak nasıldı senin için? Bir erkeğin hayatına, bir erkeğin bedenine, o sağlam kütleye sahip olmak nasıl bir his? Diğer erkekler nasıl tipler? Sınırın ötesine geçince insan ne hissediyor? Hava yüzünün derisini geriyor mu? Bedenine hasar veriyor mu? Sen de ölümü düşünüyor musun?*

"Tanrım, yanıyoruz," diyor. Ön kollarımın üstünde doğruluyorum, dudaklarımı büzüp yüzüne üflüyorum. Gözlerini açmadan hafifçe gülümsüyor, birden midem bulanmaya başlıyor.

"Ne olursa," diyorum.

"Neden bu kadar önemsiyorsun?" diye soruyor.

"Bilmek istiyorum yalnızca," diyorum, gözlerim yaşarıyor.

"Ağlıyor musun?" diye soruyor, gözlerini açmadan.

"Hayır," diyorum. "Başım ağrıyor." Gözyaşları yanaklarımdan aşağı yuvarlanmasın diye uzanıyorum. Eski bir numara bu, öyle uzun zaman önce öğrendim ki zamanını bile hatırlamıyorum. Belki de insanlara özgü bir numara, doğuştan gelen.

"Ağlama," diyor, sonunda gözlerimin içine bakarak. "Kadınların ağlamasından nefret ediyorum. Manipülatif buluyorum." Ayağa kalkıyor. "Eve git bir aspirin al," diyor, beni de elimden tutup kaldırırken.

"Dikkat et kendine," diye ekliyor. "Kendine daha iyi bakman lazım." İki elini omuzlarıma koyup alnıma küçük bir öpücük konduruyor. Bedeninin benim bedenim üzerindeki etkisinden ne kadar haberdar merak ediyorum, o da önlemlerini alıyor mu diye düşünüyorum.

Eve dönüş yolunda sesler duyuyoruz. Kızkardeşlerimin sesleri ama bir patırtı koparıyorlar sanki, sesleri bir yükselip bir alçalıyor. Llew bana bakıyor, bakışları bir an için tereddütlü.

"Oyun oynuyorlardır," diyorum. Seslerin geldiği açıklığa doğru yürüyoruz.

Kızkardeşlerim bir şeyin önünde durmuş, alayla bağrışıyor. Burası daha karanlık, ağaçların yaprakları birbirine öyle sokulmuş ki aralarından güneş geçmiyor. Kayalar dil gibi yosunlarla kaplı, yapraklar küflü. Yaklaştığımızı duymuyorlar.

"Annen nerede?" diye soruyor Sky, sırtı hâlâ bize dönük. "Nerede o?" Uzanıp bir ağaç dalını sallıyor. Yukarıdaki yapraklardan kuşlar yükseliyor.

"Erkekleriniz neden onunla ilgilenmiyor?" diyor Grace. "Sen neden yanında değilsin?"

"Onu yalnız bırakmışsınız," diyor Sky.

"Bilse ne düşünürdü?" diyor Grace.

Llew birden önlerine geçince kızkardeşlerim şaşırıp geri çekiliyorlar. Gwil'i kolundan tutuyor. Yüzünde yol yol gözyaşı izleri, pantolonunu yarıya kadar çekebilmiş Gwil.

"Ne yaptınız ona?" diye soruyor, tehditkâr bir sesle. Grace geri çekilmiyor.

"Bir şey yapmadık," diyor çenesini kaldırarak. "Ormanda tek başına bulduk onu." Gwil'e bakıyor. "Sinsice dolaşıyor, erkeklerin yaptığı şeyleri yapıyordu."

Gwil sırtını onlara dönüyor, başını eğiyor. Koluyla gözlerini siliyor.

"Onu rahat bırakın," diyor Llew.

"Yoksa ne olur?" diye soruyor Grace, gülümseyerek. Bütün cüretine rağmen, Llew ona doğru bir adım atınca geri çekiliyor.

"Bir çocuğa eziyet etmek. Korkunç bir şey," diyor. "Erkek olsanız hiç düşünmez döverdim sizi."

"İyi ki erkek değilim o zaman," diyor Grace ve Llew elini bir kaldırıyor ama sonra hemen indiriyor.

Kızkardeşlerimle eve dönüyor, erkekleri ağaçların arasında bırakıyoruz. İkisi de gergin, ikisi de mutluluktan uçuyor. Bir şeyi daha atlattık. Bir oğlan canı yakılabilir bir erkekten, tehlikesiz bir erkekten başka nedir ki zaten? Bir şeyi kanıtlamış, bir şeyi kabul ettirmiş olduk. Fakat hâlâ kırılganız ve bunu unutmamıza izin verilmiyor. Akşam uykumdan Grace uyandırıyor beni, saçlarımı çekerek, ellerimi kaldırana kadar yüzüme tokat indirerek. Ben yataktan çıkana kadar devam ediyor saldırmaya. Kalkıp ona baktığım zaman kıpkırmızı olduğunu, histeri nöbeti geçirdiğini anlıyorum.

"Annemiz," diyor soluk soluğa, bana yeniden vurmaya başlamadan önce. "Annemiz!"

"Ne?" diyorum ona, kulaklarımdaki çınlamayı unutarak. "Ne oldu?"

"Hâlâ yok!" diye haykırıyor Grace.

Sky koşarak içeri geliyor, yüzünü tırmalamaya ve ulumaya başlıyor, çekmecemdeki müslin parçasını ağzına, boğazına sarıyorum. Sesi kesilmiyor.

O zaman beni de ele geçiriyor korku, dizlerim çözülüyor, ben de haykırmaya başlıyorum. Çünkü birden gerçek oluyor: Annemiz gitti.

"Geri dönmeyecek," diyor Sky boğuk bir sesle. Grace onu tokatlıyor —oysa Sky'a asla vurmayız; ona hep nazik davranır, özen gösteririz—, sonra ben de Grace'e vuruyorum çünkü artık dokunulmaz olmadığını hatırlamasını istiyorum; artık bizden daha iyi değil. Grace bana bakıyor, elini yanağına götürüyor.

Sonra kapıda görmeden önce hissettiğimiz varlıklarıyla: erkekler. Odaya giriyorlar, içgüdüsel olarak onları dışarı çıkarmak için ellerimi kaldırıyorum ama onlara dokunmadan önce indiriyorum yeniden. Çimenlerin üzerinde durup bedenlerimizi yere bırakmaya veya birbirimizi kollarımızda yakalamaya ihtiyacımız var; birbirimizi tekrar tekrar suyun dibine itmeye ihtiyacımız var.

"Annemiz," diyor Sky soluk soluğa, ağzına bağladığım, tükürük ve gözyaşıyla ıslanmış bağı çıkarırken. "Annemiz."

"Kızlar," diyor James. Halimiz onu şaşırtmışa benziyor. "Lütfen böyle yapmayın. Yakında döner. Döneceğini biliyorum. Belki bu gece gelir. Limanda işi uzamış olmalı. Veya akşam yemeğine kalmıştır."

"Nereden biliyorsun?" diye ateş püskürüyor Grace. "Sana neden güvenelim?"

Mümkün olan tek karşılığı veriyor adam. "Başka seçeneğiniz var mı?"

Bakışlarım her zamanki gibi Llew'ü buluyor. Bizi bu halde gördüğü için dehşete düşmüş gibi bir hali var, o halini görünce utanıyorum. Bakışlarıma karşılık vermeyi reddediyor. Histerik halimiz bir tek Gwil'i rahatsız etmemiş gibi görünüyor. Yoğun bir ilgiyle, hatta keyifle bizi seyrediyor.

"Hep aynı şey," diyor artık açıktan hıçkırmaya başlayan Sky. "Aynı şeyleri söyleyip duruyorsun, peki annemiz nerede? Ne zaman dönecek?" Dizlerinin bağı çözülmüş gibi bir anda yere çöküyor.

"Lütfen," diyor James, canını yakıyormuşuz gibi. "Bizimle birlikte aşağı gelin. Sizlerle ilgilenmemize izin verin." Sky'ı avutmak için yanına gidiyor ama kızkardeşim elleriyle dizlerinin üzerinde ondan kaçıyor, James kollarını uzatmış, ardından bakıyor.

"Tamam, bu kadarı yeter," diyor Llew. Ellerini çırpıyor, beklentiyle bize bakıyor. "Hadi bakalım."

Mücadele isteğimiz kalmadı. Bir süre tereddütten sonra Sky ayağa kalkıyor. Erkeklerin peşinden mutfağa iniyoruz, el ele tutuşuyoruz; yenilgimiz bizi birleştiriyor.

Yemek salonu darmadağın, her yere yemek tarifi kitapları ve tabaklar, boş şişeler ve yiyecek paketleri saçılmış. Erkekler bizim bölgemizde dikkatsizce yaşıyorlar. Yan gözle Grace'e bakıyorum ama ortalığın halini fark etmemiş görünüyor. Ellerim kaşınıyor, her şeyi toplamak, bulaşıkları lavaboya taşımak, suyu açmak istiyorum ama mutfaktaki erkeklerin yanına gitmek istemiyorum. Birbirleriyle şakalaşıp gülüşüyorlar içerde. Onun yerine uzun kapıları ardına kadar açıyoruz ve pervazın önüne dizilip serin akşam havasını içimize çekiyoruz.

"Annemiz evin bu halini görse ne kadar kızardı, düşünsenize," diyor Grace, birlikte kıkırdıyoruz ama buna gülmek denemez. Annemiz evin bu halini görse çıldırırdı. Bizi hemen cezalandırırdı.

James üzerinde üç porselen fincan olan bir tepsiyle yemek salonuna geliyor. Tepsiyi masaya koyuyor, fincanlardan yükselen buharı ihtiyatla seyrediyoruz.

"Sıcak çikolata," diyor. "Yalnız kakao tozu ve su korkarım." Özür diler gibi elini göğsüne götürüyor. Llew de geliyor yanımıza. Kızkardeşlerimin ormanda Gwil'e eziyet ettiğini kimse hatırlatmıyor.

Fincanı dudaklarına götüren ilk ben oluyorum, herkes beni seyrediyor. Tadı güzel. Bol bol kakao tozu koymuşlar, topaklardan bazıları tamamen çözülmemiş. Dişlerimin arkasına yapışıyor, dudaklarımda tatlı bir katman bırakıyorlar.

Bizi lobiye götürüyorlar. Başlangıçta erkekler salonun karşı tarafında oturuyor ama çok geçmeden bizim toplaştığımız yere geliyorlar üçü birden. Bedenlerini yakınımıza yerleştiriyorlar. Bedenlerinden yayılan, tenimizi ısıtan sıcaklığı hissedebiliyoruz.

"Aramızda konuşuyorduk da," diyor James. Llew'e bakıyor, beriki başını sallıyor. "Bizi almaya geldiklerinde siz de bizimle gelebilirsiniz. Bunu istemez misiniz?"

"Hayır," diyor Grace. Onaylamak için başlarımızı sallıyoruz.

"Hemen itiraz etmeyin," diyor Llew. "Anneniz dönmezse –sizi sonsuza dek bıraktıysa– biz sizi koruruz."

"Bizi bırakmadı," diyor Grace.

"Tabii ki, tabii ki," diyor Llew. Bizi ürkütmemeye çalışır gibi konuşuyor.

"Önünüzde koca bir ömür var," diye ekliyor James. Ona bakıyorum, titrek ağzından, burnundaki soyulan deriden tiksiniyorum.

"Bizim için gelecekler," diye açıklıyor Llew. "Sizi de götürebiliriz yanımızda. Sizi burada yalnız bırakmak hoşumuza gitmiyor."

"Yalnız olmayacağız. Lütfen konuşmayın artık," diyor Grace, elleriyle kulaklarını kapatarak. Llew onun ellerini tutup indirince üçümüz de geriliyoruz.

"Çocukluk etmeyin," diyor. Grace'e dokunmasından nefret ediyorum, daha fazla temas edebilmek için omzumu gövdesine yaklaştırıyorum.

"Bir düşünün bunu," diyor James. "Düşünün yalnızca."

"Hayatta kalamayız," diyor Grace.

Llew'ün gözlerinin içine bakmaya, ona bunu istediğimi işaret etmeye çalışıyorum. Konuştuğumuz gibi yeni dünyada yanında olmak istediğimi anlatmak istiyorum ama bana bakmıyor. Bakışlarını pencereden, dışarıda bir hayvan gibi nefes alan denizden ayırmıyor.

O gece ilk kez benim odamda kalıyor. Bunu önceden kararlaştırmıyoruz ama gecenin karanlığı iyice koyulaşınca, yatağımda bir süre tek başıma uzandıktan sonra kapı açılıyor. İçeri geliyor ve beni iki eliyle yatağın ortasından kenara itip, "Kenara kay," diye fısıldıyor. Kollarını veya bacaklarını bana dolamıyor, normalde yaptığımız şeyleri yapmıyor; sırtını bana dönüp yakın ve sıcak bedeniyle yanıma kıvrılıyor. Nefesleri yavaşlıyor birazdan. Elimi sırtına koyuyorum, saçlarını avucuma dolduruyorum. Altındaki kafatası narin. İstesem onu burada öldürebilirim. En azından bir tutam saçını kesip saklayabilirim. Dudaklarımı omzuna uzatıyorum, uyanmasın diye nazikçe öpüyorum.

Gece aniden uyandığımda bedeni sarsılıyor. Kolumu karnının üstüne atıyorum, yüzümü boynuna gömüyorum. Ağlıyor olabilir. Ona dokunduğum anda titremesi geçiyor. Bir şey söylemiyor. Utanmış olabilir veya dokunuşum onu iyileştirmiş olabilir. İkincisini tercih ediyorum. Bedenimin, bir sevgi nesnesi olarak, hayal bile edemediğim güçler kazandığını düşünmeyi tercih ediyorum.

*Tek bir büyük olay değil, bir sürü küçük olay vardı. Her biri içimi kemiriyordu. Sonunda, derisiz kalmış gibi hissettim. Derim kanıyordu. İnanılmaz yaşlandım. Depom bu kadar çabuk boşaldığı için çok kötü hissediyordum, durumla baş edebilen diğer kadınları görünce utanıyordum. Onları yüzüstü bırakmışım gibi geliyordu.*

Annemizin yokluğundaki dördüncü gün uyandığımda yatağım boş. İlk tepkim örtüleri kenara çekmek, Llew'ün gece orada olduğunu kanıtlayan bir ipucu aramak oluyor. Yastıkta benim saçımdan daha kısa siyah saç telleri var. Yüzümü yastığa gömüp kokusunu içime çekiyorum ama hepimiz aynı, etiketsiz, avucumuza sığan somon pembesi karbolik sabun kalıplarından kullanıyoruz. Ağladığından emin olmak için yastıkta sertleşmiş tuz taneleri arıyorum ama çabalarım sonuçsuz kalıyor. Yatak örtüsünde başka siyah kıllar, terinin hafif kokusu.

Midem bulanıyor aniden. Nevresimi ve örtüleri çıkarıp odanın ortasına yığıyorum. Öyle sıcak suyla banyo yapıyorum ki küvetteki suyun içine oturmakta zorlanıyorum ama oturuyorum yine de. Üzerinden atlanacak bir yükseklikmiş gibi, *acı eşiği* sözcüklerini düşünüyorum. Pencereyi açmayı unuttuğumdan banyo hemen buhar doluyor.

Cesaretimi yitirmeden önce, uyluğuma iki tane küçük, yatıştırıcı kesik atıyorum hemen; her biri birer santim uzunluğunda. Bacaklarıma bakınca hangi yara izlerinin birkaç ayda on santim boy attığım yazdan kaldığını, hangilerinin bizi güvende tutsun diye benim açtığım kesiklerden kaldığını ayırt edemiyorum. Bedenimin ebedi hantallığı her yanda. Şimdi yeni utançlar ve tehlikeler de var, çıkardığım sesler gibi, kontrolümü yitirmem, Llew'e suyun verdiği acıdan memnun kalmama neden olan şeyler yapması için yalvarmam gibi. Küvette buhar saçan sular pembeleşiyor. Onunla yaptığım şeylerden kendimi korumak için bol bol su içiyorum. Lavabonun başına dikilip yarım litre, bir litre suyu havayla birlikte hızla yutuyorum. Elbisemin altında midem şişiyor. Suyun kanımı temizlediğini hayal ediyorum, su etkisini gösterene kadar lobideki havı dökülmüş kadife kanepeye uzanıyorum, kendini yeniden ayarlayan bedenimin sesini dinliyorum.

Annemiz olmadan ekmek yapılmıyor, keçi süt vermiyor, evin düzenini koruyamayacak kadar dağıldık. Kahvaltı sofrasından herkes aç kalkıyor. Konserveler hızla tükeniyor, Llew dört tane daha açmamız için ısrar ediyor. Şeftali dilimlerini, kuru erikleri, meyve kokteylini, konsantre sütü kutulardan kaşıklıyoruz. Peşinde Gwil'le çıkageldiğinde, dün gecenin gerçek olduğuna dair bir işaret vermiyor bana. Tatlı yiyeceklerin midesini kaldırdığını söylüyor. Konserve açacağını elimden alıyor çünkü çok yavaş çalışıyorum, birkaç saniyede açıyor kutuları.

"Dişlerim dökülmek üzere," diyor ve göstermek için ağzını açıyor, Gwil de onu taklit ediyor. İkisinin de dişleri her zamanki gibi sert ve kurt dişleri gibi sivri görünüyor, oysa bizim dişlerimiz, kızkardeşlerimin dişleriyle benim dişlerim ağızlarımızın içinde kararıyor. Erkeklerin ıslak, kırmızı gırtlak delikleri midemi bulandırıyor.

"Diyetinizde daha fazla çeşit olmalı," diye öğüt veriyor bize. "Sizin yaşınızdaki kadınlar kırmızı et yemeli. Kalsiyum almalı. Folik asit. Bedenlerinizin belli ihtiyaçları var."

Bedenim pek iyi hissetmiyor. Meyveler çok tatlı,

haklı. Yediklerim mideme oturuyor, pıhtılaşıyor. Llew kâsesini ve kaşığını öylece bırakıp masadan kalkıp gittiğinde hâlâ karnımı doyuruyorum. Biraz meyve suyu bırakmış. Herkes gittikten sonra kâsesini alıp meyve suyunu kendim içiyorum, panikliyorum, kendime engel olamıyorum.

Kızkardeşlerimi Grace'in bataklık gibi kokan sıcak odasında buluyorum, pencereleri kapatıp yere uzanmışlar, annemizin verdiği ipek şalları üstlerine örtmüşler. Kapıyı açıp içeri girince yerde öylece, kımıltısız yattıklarını görünce şaşırıyorum. Grace doğrulup oturuyor, yüzündeki ipek örtü düşüyor. Gözlerinin çevresindeki halkalar her gün biraz daha kararıyor. Bir şey söylemeden beni inceliyor.

"Size katılabilir miyim?" diye soruyorum. Yeniden yatıyor.

"İstiyorsan katıl," diyor. "Bir sözcük üzerine meditasyon yapıyoruz."

Annemizin bizi yatıştırmak için kullandığı eski bir teknik bu. Bazen daha önce hiç duymadığımız bir sözcük seçerdi. Bir ödül gibiydi, şekerden yapılma küçük bir şeydi. "Bunu düşünün," derdi bize. "Sıkılana kadar. Uykuya dalana kadar."

"Sözcük nedir?" diye soruyorum. Grace iç geçiriyor.

"Tramadol," diyor, sözcüğü yavaşça telaffuz ederek. "İlaç dolabından." Nefesinde kötü ve tatlı bir koku var, ekşimiş süt kokusunu andırıyor.

Sözcüğün hatlarını tekrar tekrar aklımdan geçiriyorum, ince kumaş nefesimle birlikte yükselip alçalıyor. Yıkanmamış kızkardeşlerimin burnuma dolan kokusuna rağmen burada böyle yatmak rahatlatıyor beni. Küçük beyaz hapları, minik mavi hapları, bardaktaki suyu, kahverengi cam şişeyi düşünüyorum. Ağızlarımız açık, başlarımız ağırlaşmış. Uyuyarak geçirdiğimiz bir haftadan sonra, Grace verilen hapları dilinin altına saklamayı öğrenmişti. Annemiz gittikten sonra hapı avucuna tükürüp bize gösterirdi: "Bakın," derdi. "Bu şimdi ikinizin de içinde."

Önce Sky doğrulup oturuyor. Grace'in yatağının yanındaki komodinin çekmecesinde bulduğu makası bize getiriyor.

"Saçımı keser misin?" diye soruyor bana. Saçlarının incelmiş uçlarını birazcık kısaltıyorum ama başını iki yana sallıyor.

"Hepsini kes," diyor.

Bu fikir dehşete düşürüyor beni. İtiraz ettiğim zaman yalvarmaya başlıyor. Saçları olmadan hastalanabilir. Kral korunmak için saçlarımızı uzatmamız gerektiğini söylerdi ısrarla. Ama kızkardeşim şimdi Grace'e dönüyor ve Grace de ona, "Ne istersen yapabilirsin," diyor. Kolunu Sky'ın omzuna doluyor. Beni sinir etmek için yapıyor bunu.

"Peki ya Kral'ın söyledikleri?" diyorum.

"Ne olmuş yani," diye karşılık veriyor Grace. "Eskiden saçlarımız kısaydı. Sen herhalde hatırlamıyorsundur," diyor Sky'a. "Ama öyleydi."

Birlikte banyoya girip kapıyı kapatıyorlar. Kemirdiğim tırnaklarımı inceliyorum. *Kırt-kırt* diye geliyor makasın sesi, ahşap kapının arkasından bile. Banyodan çıktıklarında Sky'ın saçları kulak hizasında. Ona korkuyla bakıyorum.

"Böyle daha iyi," diyor. Şöyle bir dönüyor.

Kısa saçla daha büyük görünüyor, sanki bir sıçrayışta bize yetişiyor. Dönüp makyaj masasının aynasında kendine bakıyor. Grace eserini hayranlıkla seyrederken derin bir nefes alıyorum, sonra bir tane daha alıyorum.

"Güzel görünüyorsun," diyor Grace. "Erkeklerin aklına düşeceksin. Cüretkâr davranmalarına izin verme sakın."

"İğrençleşme," diyor Sky. Öğürme taklidi yapıyor.
"Bence de iğrenç," diyor Grace. "Böyle düşünmene
sevindim." Bana bakmıyorlar. Yüzüm ısınıyor, yanaklarım kızarıyor.

Saçlarını yerden toplamasına, küçük yığınlar halinde dizmesine, ne isterse yapmasına izin veriyoruz. Adaklar. Muskalar. Belki birazını bahçeye gömer ve yerden yumuşak pençeleriyle yeni bir ağaç çıkar. Hastalık belirtileri için yakından takip ediyorum onu. Belki kendi bedenimi kurtarmakta geç kaldım ama nankörlüklerine rağmen kızkardeşlerim için elimden geleni yapacağım. İşi bitince, onu annemizin odasına götürüp ilaç dolabından aspirini alan benim. Ağzını açıyor, gözlerini yumuyor, diline bir-iki tablet yerleştiriyorum, sonra kendi ağzıma da bir aspirin atıyorum çünkü artık midem bulanmasa bile bedenimin kenarlarında bir tür dehşet hissi birikmeye başlıyor. Bir semptom olabilecek bir şey, günler önce, Llew üstümdeyken, gözlerimi açtığım zaman nemrut bakışlarını yatağın arkasındaki duvara diktiğini gördüğüm zaman başlayan bir şey; sanki tesadüfen oradaymışım, herhangi biri olabilirmişim gibi.

Kimsenin beni aramayı akıl etmeyeceğini düşündüğüm bahçede ağlarken James beni buluyor. Sanki yeniden çocuk oldum ve kimse yanıma yaklaşmak istemiyor, kucaklanmayı, dokunulmayı, dinlenmeyi bu kadar çok istememle kimse baş edemiyor ve bu konuda yapabileceğim hiçbir şey yok. Yıkıntı duvarlardan birinin dibine çömelip çimenlere oturuyorum, hâlâ çiy kaplı çimenler elbisemin eteğini ıslatıyor. Acımın merkezinde sıcak bir öfke topu kaynıyor. Keskin bir taş bulup elime alıyor, avucumda sıkıyorum.

"Neyin var?" diyen sesi duyunca donup kalıyorum.
James ıslak zemine aldırmadan yanıma oturuyor. Elini

koluma götürüyor ama irkildiğimi görünce çekiyor yeniden.

"Dün gece siz kızları üzmedik umarım," diyor. Bize hep *siz kızlar* diye hitap ediyor oysa şimdi yalnızca bir kızım ben, kendine ait bir kız, dışarıda. Başıma her şey gelebilir.

"Üzgün değilim ben," diyorum.

"Benimle konuşabilirsin, Lia," diyor. "Neyin var?"

Daha yüksek sesle ağlıyorum şimdi. Oturup bekliyor, sonunda biraz kendimi toplayıp, "Kızkardeşlerim," demeyi başarıyorum.

"Ne olmuş onlara? Küstünüz mü?" diye soruyor, uysalca. Gözlerimi siliyorum.

"Ah Lia," diyor. "Bunu duyduğuma çok üzüldüm." Duraksıyor. "Ama belki de kendi kararlarını verecek kadar büyüdün. Senin yaşında bir kızın kardeşlerine bu kadar bağımlı olması sağlıklı değil."

Utanıyorum.

"Eskiden kardeşimden nefret ederdim," diyor düşünceli bir tavırla. "Bazen onu öldürmek isterdim." Birden sessizleşiyorum, bilgiye açım, Llew hakkında ne olursa olsun öğrenmeye. "Sonra hastalandı. Çok hastaydı. Çocuktuk daha. Ölecek sandım."

Küçük, hasta ve çelimsiz Llew'ü hayal etmeye çalışıyorum fakat çocukluğunu gözümde canlandıramıyorum. Onun yerine aklıma Grace'in bedeninin yıllar içinde geçirdiği, her zaman benim geçirdiklerimden daha hafif değişimler geliyor. Biri perhiz diyeti yapmasını, odasının kapısının önüne tuzdan bir çizgi çekilmesini gerektirecek kadar ciddi, iki şiddetli ateş. Yabanarısı sokunca şişen ayak bileği, neyse ki zehir kalbinden uzaktı. Bunların hiçbiri bedeninin geçirdiği son değişime hazırlamamıştı onu.

"Kardeş olmanın ne anlama geldiğini fark ettim,"

diye anlatıyor James, bir yandan beni izlerken. "Sonra hiç unutmadım, kardeşim iyileştikten sonra bile. Kan bağını yok sayamazsın, değil mi?" Duraksıyor. "Yani geçecek, aranızda ne olduysa. Eminim bundan."

*Bir şey bildiğin yok,* demek istiyorum ona. Ne derse desin, benim kanım yok sayılabilir; fakat her şeyimle onlara aidim, tabii beni isterlerse. Gülesim geliyor. Çevremdeki dünyayı, evi, ormanı, arkamızda uzanan bahçeyi işaret etmek istiyorum ellerimle. *Benzerlik yok,* demek istiyorum ona. *Bazı şeyler asla geçmez.*

Halinden memnun bana gülümsüyor, ayağa kalkıyor, pantolonundaki çimeni ve tozu silkeliyor. "Neden benimle birlikte içeri gelmiyorsun?" diyor. "Burası çok sıcak."

"Annemiz," diyorum. "Annemizi beklemem lazım."

Yeniden iç geçiriyor ama başıyla onaylıyor. "Madem öyle istiyorsun."

Sky bir kâbus görüyor. Uzun akşamüstü güneşinde terasta uyuklarken seğiren kollarını seyrediyoruz. Acıklı bir ifadeyle açılmış ağzı, yeni kesilmiş saçları. Ne kadar içimden gelse de "Sana söylemiştim," demiyorum Grace'e. Kızkardeşim dizlerini bükmüş yatıyor, yüzünde güneş gözlüğü, annemizin yasak güneş yağını düşünceli bir tavırla bacaklarına ve kollarına sürüyor.

"Korkuyorum," diyor Sky bize, ter içinde aniden uyanıp ona baktığımızı gördüğü zaman. "Ama neden korktuğumu bilmiyorum." Uzun bir sessizlik oluyor.

"Bence bir terapi yapmalısın," diyor Grace. "Uzun zaman oldu."

Sky başını iki yana sallıyor.

"Bence yardımı olacaktır," diyor Grace. Bana bakıyor. "Lia?"

Kızkardeşimi incitmek istemiyorum yeniden. İçimde, elbisemin altında biriken teri hissediyorum.

193

"Lütfen," diyor Sky. "İstemiyorum." Havlusunu ellerinin arasına alıp büküyor, çığlık atıyor, keskin bir çocuk çığlığı; fazla genç bir sesle, biz ellerimizle ağzını kapatana kadar bağırıyor. Grace onun ellerini yakalıyor. Sky dramatik bir tavırla yere yuvarlanıyor, tepkimizi ölçmek için bize bakıyor.

"Üzgünüm," diyor Grace. "Bence en doğrusu bu." Dizlerinin üstüne çöküp Sky'ın titreyen ellerini ellerinin arasına alıyor.

Küçükken, annemiz en sevdiğim oyuncağı seçmemi istedi, dalgaların kıyıya taşıdığı bir ağaç parçasından Kral'ın yonttuğu küçük bir şey. Bir gün oyuncağımı gözlerimin önünde Grace'e verdi ve "Bu artık ona ait," dedi. Daha sonra bir süre sofrada benim tabağıma giderek daha fazla yiyecek koydular ve bunu günlerce sürdürdüler. Grace gözlerini kırpmadan benim tabağıma bakardı; yemeğimi tabağın üstüne kapanarak yer, korurdum ondan.

Her seferinde tepki verir, birbirimizin yüzüne sert tokatlar atar, saçlarımızı tutam tutam yolar, tırnaklarımız kan çıkarana kadar bibirimizin etini sıkardık. Ebeveynlerimizin bu müdahaleleri, kalplerimizle yaptıkları tuhaf deneyler bir noktada, Sky doğduktan kısa bir süre önce, sanki bir çocukluk oyunuymuş gibi kesildi. Oyunu sonlandıran kimdi bilmiyorum ama bazen öfke nöbetinin ortasında hem sevdiğim hem nefret ettiğim kızkardeşime saldırırken Kral ile annemizin bizi tanımıyormuş gibi, artık çocukları değilmişiz gibi bize baktığını fark ederdim. O bakışı görmek çok canımızı yakardı ama çok geçmeden unuttuk onu, yeniden birbirimizden nefret etmenin, birbirimizi sevmenin ve birbirimizin canını yakmanın neler hissettirdiğine odaklandık, yeni şeylere, eski şeylere kapıldık.

Mutfaktan bardakları taşıyoruz, birkaç kez gidip

geldikten sonra bardakları annemizin banyosuna, yere diziyoruz. Onun boş yatak odasından geçerken hâlâ aşağıdaymış gibi geliyor bize; tek fark derin nefes aldığımızda burnumuza dolan havadaki hafif bayat koku. Ailemizin son toplu fotoğrafı hâlâ şömine rafının üstünde, bir suçlama gibi duruyor. Kral'ın fotoğrafta olmaması kötü bir alamet sanki; gerçi o hiçbir zaman fotoğraf karesine girmez, hep makinenin arkasında olurdu. Şifonyerinin en alt çekmecesini açıp gerek olursa kullanabileceğimiz müslin kumaşları ararken diğer aile fotoğraflarımızı buluyorum. Annemizin saçı uzuyor, belinin altına iniyor, kulaklarına kadar kısalıyor. Kızkardeşlerim ve ben birden ağaçlar gibi boy atıyoruz. En sevdiğim fotoğrafta, Grace annemizin kucağında oturuyor. Üçayak üstündeki fotoğraf makinesine bakıyor doğrudan. Fotoğrafları annemizin iç çamaşırlarıyla, delinmiş dantellerle ve parlak, ten rengi elastikle örtüyorum. Sürünerek yatağının altına girip bir-iki dakika karanlık ve pislik içinde orada kalmak isterdim ama yer yok bana orada.

Bardakların yarısı tuzlu suyla, yarısı içme suyuyla dolu. Grace ölçüleri hesaplıyor. Bardakların etrafından dikkatle geçiyor, onları devirmemeye özen gösteriyoruz. Sky klozetin yanına oturmuş sızlanıyor, dizlerini göğsüne çekmiş. Grace parmaklarının ucuyla şakaklarını ovuyor.

"Bana güç ver," diyor. "Bebek gibi davranmayı kes."

Tuzlu su dolu ilk bardağı Sky'a uzatıyorum, yudumlarken yüzünü buruşturuyor, derken birden beklenmedik bir şekilde dikiyor bardağı başına. Gözlerini sıkı sıkı yumuyor. Grace ona bir bardak daha su verince yine aynısını yapıyor, sonra dönüp klozete kusuyor. Elleri klozetin kenarını yakalıyor. Ayakları boş bardaklardan birine çarpıyor, bardak devriliyor.

"Yeter," diyorum tuzlu su dolu yeni bir bardak uzatan Grace'e.

Sky durup bize doğru dönünce ona tatlı su dolu bardaklardan birini veriyorum. Sorunsuz içiyor, arkasından hızla ikinciyi, üçüncüyü bitiriyor, elini sallayıp dördüncüyü istemediğini belli ediyor. Ona Kral'la annemizden daha insaflı davranıyoruz, daha fazla içmeye zorlamıyoruz. Onun yerine bardakları rezervuara, tezgâha, küvetin kenarına ve pencerenin pervazına dizip ona yer açıyoruz. Yere uzanıyor, yüzü ıslak. Görevimizi yaptık. Kızkardeşlerimi orada bırakıp banyodan çıkıyorum, sulardan ve aynadan ışıklar yansıyor.

Daha sonra kendi banyomda erkekler geldiğinden beri tenimde çiçeklenen yeni morlukları inceliyorum. Başta olduklarını fark etmedim ama işte buradalar. Belki kanımda olgunlaşmakta olan bir virüs var. Kendi meyvelerini veren hücreler. Bedenimde bir itiraza dönüşen sevgi. Belki de dokunulmaya alışık olmadığımdan, hamlamış olduğumdan. Bedenler yalan söylemez. Bunların hepsi şurama, şurama, burama dokunduğunun kanıtı. Kolumun altındaki izsiz deriyi zevkle çimdikliyorum.

Llew kapıyı tıklatmadan içeri girip aynada kendime, kollarımdaki, bacaklarımdaki solgun gölgelere, uyluğumun üstündeki gazlı bezli pansumana baktığımı gördüğünde hâlâ banyodayım.

"Bazen beni dehşete düşürüyorsun," diyor. Ama gülümsüyor, demek ki sorun yok.

Annemiz dönerse, aşkın sonu gelecek. Yatak örtülerinin üzerinde bedeninin uzun hatlarını, beline sardığı soluk mavi havluyu göremeyeceğim annemiz dönerse. Az önce duş almış. Dizinin hemen yanındaki benlere parmağımla bastırıyor, ensesindeki ıslak saçları karıştırıyorum.

*Erkeklere maruz kaldığın süreyi kısıtla veya sana zarar vermek istemeyen bir erkek bul.* Hasarlı bir kadının bir diğerine söylediği bu sözcüklere kulak misafiri olmuştum, kendi aralarında telaşla, mırıldanarak konuşuyorlardı. Söylediklerini duymadığımı sanıyorlardı. *En tehlikeliler, sana zarar vermek istediklerini bile bilmeyenlerdir. Aşk için korkudan sinmeni ve bunu duygusallık sanmanı isterler. Kadınlardan en çok nefret edenler onlardır.*

Çok dikkatli davrandık. Uslu davrandık. Fakat bu kez, her zamanki gibi odanın kapısından sessizce çıktıktan sonra bir an duraksıyor. "Merhaba Grace," diyor.

"Merhaba," dediğini duyuyorum ablamın, ekşi bir ses tonuyla.

"Nasıl gidiyor?" diyor Llew. Kapıyı hemen kapatıyor ama dibinden ayrılmıyorum.

"İyi," diyor Grace. "Gayet iyi."

Llew'ün uzaklaştığını duyuyorum, bu kez ucuz atlattığımızı düşünüyorum ama çok geçmeden kapım tıklatılıyor. Bedenime kımıldama izni vermiyorum. "Orada olduğunu biliyorum, biliyorum bunu, biliyorum," diyor Grace. Sesi balondan çıkan hava gibi ama ona karşılık vermiyorum.

"Duydum sizi," diyor. "Dünkü çocuk değilim ben."

*Hayır,* diyorum sessizce, beyaza boyalı ahşap kapıya, bir kas gibi düğümlenerek. *Lütfen.* Gözlerime utanç yaşları doluyor.

"Ne yaptığını biliyor musun?" diye soruyor ablam kapının diğer tarafından. Bedenimin gerçekten tehlikede olduğunu söylüyor. "Peki ya düşüncelerin," diyor. "Allak bullak olmadılar mı? Hastalıklı gelmiyorlar mı sana?"

Evet, öyle geliyorlar ama *ne olmuş yani, zaten hep öylediler* diye tıslamak istiyorum karşılık olarak. Bu kadarcık mutluluğu bile çok mu göreceksin bana? Ama öyle olacağını bilmem için bunu ona sormam gerekmiyor.

Taktik değiştiriyor. Sesi hüzünlü çıkıyor şimdi. Başımıza benim yüzümden korkunç bir şeyler gelebileceğini söylüyor.

"İşaretleri fark ettin mi? Bulaşıcı hastalığın olabilir." Altçenemdeki sallanan dişi dilimle ittiriyorum. "İçeri al beni," diyor. "Ateşini ölçeyim." Tuzak bu. "Git buradan," diye fısıldıyorum. Sırtımı kapıya yaslayıp halının üstüne oturuyorum, yatağa, darmadağın örtülere bakıyorum. Hâlâ sıcak olabilir örtüler. Onları boğulana kadar etrafıma sarmak istiyorum.

Sonunda gidiyor ama önce kapıyı yumrukluyor ve eli acıdığı için haykırıyor. Bu da benim suçum. Onu düş kırıklığına uğrattığımı söylüyor, gerçekten onları yüzüstü bırakıyor olabilirim.

"Bencil bir kaltaksın," diyor sonunda. Adım sesleri sakince koridor boyunca uzaklaşıyor. O sözcüğü birbirimize söylemeyiz. Bana vurmasını, mideme yumruk indirmesini tercih ederdim bana öyle hitap ettiğini duymaktansa.

Boğazımı temizliyor, balgamı banyoya tükürüyorum, dişlerimi çılgınca fırçalıyorum, tövbe ediyorum, ediyorum ediyorum ama ondan uzak duramayacağımı şimdiden biliyorum, çaresiz bir hayvanım, yürüyen bir ölüyüm ben.

Evden kaçıyorum, sahile koşuyorum, bütün sahil boyunca koşuyorum, etrafta beni görecek kimse yok – belki pencerelerden seyrediyorlardır ama umurumda değil, umursayamıyorum. Ayaklarım çıplak, her adımımda kumlar fışkırıyor havaya. Kendimi daha hızlı koşmaya zorlarken bileğim burkulacak gibi oluyor ama toparlıyorum, ceza olarak kendimi daha hızlı koşmaya zorluyorum, var gücümle koşuyorum. Göğsümdeki ağrı şiddetleniyor ama ağrıyan yalnızca ciğerlerim, dürüst bir ağrı, kalbimdeki gibi hain değil. Rahatlayıp neşelenmeyi bekliyorum ama olmuyor.

Taşlık göletin yakınında durma izni veriyorum kendime sonunda. Soluklandıktan sonra okyanusa cesaret edebildiğim kadar yaklaşıp sulara doğru haykırıyorum, biçimsiz haykırışlarımı boğazım acıyana kadar sürdürüyorum. Duruyorum, yeniden bağırmakta zorlanıyorum, sesim kesiliyor. Elimi boğazıma götürüyorum, acıyan gırtlağımın üstünde bir yerde atardamarımda zonklayan kanımı hissediyorum.

Yaptığım şeyler musallat oluyor zihnime. Kapalı gözlerimin arkasında küçük utanç patlamaları.

"Grace'in canını yak, yoksa Sky yapmak zorunda kalır." Yeniden sahildeyim, eşyalar, tülbentler ve yapmak zorunda olduğum şeyi yapmamı bekleyen itaatkâr kızkardeşlerim. Onların canını yakmaktansa canımın yanmasını bin kez tercih ederdim. Grace uysalca kuma uzanıyor, saç örgüsünü düzeltiyor.

Buruşturduğum tülbenti ağzına ve burnuna bastırdığımda güceniklik şiddetlenmiş olmalı, beyaz kumaşın üstündeki gözleri koyu renk ve ışıltılı, suçlanmaktan kaçış yok. *Başka seçeneğim olmadığını biliyorsun*, demeye çalışıyorum ellerimle, düşüncelerimle. Başta tepki göstermiyor ama çok geçmeden tülbentin altından elimi vahşice ısırmaya başlıyor. İstemeden yaptığını biliyorum. Ben de olsam aynısını yapardım.

Sonra, Grace kendine gelirken, Sky'ın canını yakmam gerekiyordu. Belki sadakatimi sınıyorlardı, kızkardeşlerime ve ona duyduğum sevginin yeterliliğini test ediyorlardı. Sevgim büyüktü, sorsaydı söylerdim bunu ona. Hasta edecek kadar yoğundu sevgim.

Annemiz Sky'ın kolunun üst kısmını, hastalık bulaşmayacak bir yeri zımpara kâğıdıyla ovmamı istedi. Grace yapmak zorunda kalmasın, o gece ve sonraki gecelerde rahat uyuyabilsin diye yaptım bunu, diken diken olan derisi kanayan Sky'ın yalvarışlarına rağmen. "Lütfen Lia," diyordu, gözlerini kapatarak. "Ne istersen yaparım." Dişlerinin arasından tiz bir ses çıkardı, ısırgan bir böcek gibi tiz sesiyle bağırmayı sürdürdü. Dayanılmazdı. Arkasından kuma, Grace'in yanına uzandı ve annemiz onun kolunu bandajladı. Bandajlarken kolunu havaya kaldırdı ki kum veya toz bulaşıp yarasını enfekte etmesin. Ben de gidip genelde yaptığım gibi denize kustum. Işık, ışık, ışık. Su hemen alıp götürdü.

Kızkardeşlerimin canını yaktığım günlerin geceleri en kötüsüydü. Fiziksel acımın onlarınkine eş olmasını istiyordum, geri kalmak istemiyordum. Işıkları yakmadan pencerenin yanında durdum, uyluklarım yanıyor, denizin tepkisini ölçüyordu. Tekdüze bir acı armonisi, bir deniz fenerinin ışığı gibi suyun diğer yakasına uzanan üç nota. Sınıra ulaştığını, sinyalin alıcısını bulduğunu hissedebiliyordum.

*Onlara tükürecek olsaydık bize daha fazla tükürerek karşılık verirlerdi. Bunu bekliyorduk – hatta buna hazırdık. Beklemediğimiz şey, ağızlarımızda nem bulundurma cüretini gösterdiğimiz için duydukları, giderek artan öfkeydi. Ağızlarımız olduğu için bile öfkeleniyorlardı. Hepimiz ölelim istiyorlardı, bunu artık biliyorum.*

Annemizin yokluğundaki beşinci günde bedenim iflas etmeye başlıyor. Uyandığımda boğulacak gibiyim, ama yüzümü kaplayan şey su değil, burnumdan akan kan. Yastığımda kırmızı lekeler. Ağzıma dolan kan. Burnumu sıkıp banyodaki lavabonun başına gidiyorum. Sıktığım dişlerimi de kan kaplamış.

Geceliğim batmış. Geceliğimle küvete giriyorum, suyu açıp üzerime tutuyorum, geceliği çıkarıp ayaklarımın dibine bırakıyorum. Kanama duruyor. Kendi sağlığım için suya çılgınca dua ediyorum, *lütfen* ve *hastalık* ve *kızkardeşlerim bilmesin* gibi şeyler diyorum. Geceliğimi sıkıyor, bir kesekâğıdına sarıyor, sonra bir torbaya daha koyup çekmeceye tıkıyorum.

Sürünerek ormana girmek zorunda kaldığım, bedenim çarpılmış, hastalıklı bir şeye dönüştüğü zaman ne olacak? Kızkardeşlerim yeşilliklerin arasında tepeme dikilecek mi yoksa sessiz ve dimdik bedenleriyle terastan gidişimi mi seyredecekler?

Artık buraya gelmeyen kadınlar, onlar da biliyordu aşkı. Ondan kaçıyorlardı, bir de dünyadan. Fiziksel ve ruhsal, tüm kişisel tamir çabalarını seyrediyorduk. Bunları görmek ne güzel, diyordu annemiz. Bir kadının yeniden sağlıklı olduğunu görmek. Gerçekten de, su küründen sonra sanki birisi hatlarını yeniden çizmiş gibi bedenleri sağlamlaşıyordu. Bakışları berraklaşıyordu, dönmeye hazır oldukları anlaşılıyordu.

Artık gelmemeleri dünyanın düzeldiği anlamına da gelebilirdi, eskisinden beter olduğu anlamına da. Uzak kıyılarda onlarcası, yüzlercesi, binlercesi ölüyor olabilirdi. Şiddet görerek yaşıyor olabilirlerdi, bedenlerini bu şiddet biçimlendiriyor olabilirdi, sözleri acı olabilirdi, hava gırtlaklarını yakıyor olabilirdi. İlk olasılığın gerçek olduğunu umuyorum. Onlara dengeli, ahenkli hayatlar diliyorum. Yüzlerindeki kozayı andıran tülbentler, tehlikeyi kovan kuvvetli muskalar. Onlara iyi davranacak erkekler. Bedenleri korkunç olmayan erkekler.

Llew suratını asmış havuzun başında oturuyor. Kahverengi bir şişeden bir şeyler içiyor, yanına yaklaştığım zaman şişeyi bana uzatıyor. "Mahzende buldum bunları," diyor. "Denesene." Bir yudum alıyorum, ağzımdaki sıvı sıcak, köpürüyor. Hemen yere tükürüyorum, komik bir şekilde yapıyorum bunu ama o gülmüyor. "İğrençlik yapma Lia," diyor. "Ziyan ediyorsun." Sesi sert.

Bir süre sessizce yanındaki şezlonga uzanıyorum. Bedenim onunkine demirlenmiş gibi, onun varlığı olmadan anlamsız. Sonunda kalkıp içeri giriyor, ben de peşinden gidiyorum. İç geçiriyor. "Gölgem mi oldun?"

Gölgesi olmak isterdim aslında, ama bunu ona söylemiyorum.

Kaynar güneşin altından kalkıp içeri girdiğimiz zaman, mutfakta çeliklerin ve seramik karoların arasında birbirimize bakarken keyfi birazcık yerine geliyor. Bana göstermek istediği bir şey var, odasında. Keyfimi yerine getirecek bir şey. "Çünkü sen de kendinde değilsin," diyor. "Anlayabiliyorum bunu." Görülmek güzel ama aynı zamanda korkunç. Koridorda odasının önünde bekliyor, tırnaklarımı kemiriyorum. Beni içeri çağırıyor.

"İşte," diyor, kendi etrafında dönerek. Üzerinde Kral' ın beyaz takımı var, kollarının altında sarı lekeler olan yolculuk kostümü. Pencereden içeri dolan ışıkta gözlerinin kıpkırmızı olduğunu görüyorum. Takımın kolları biraz uzun ama üzerine tam oturuyor. Düğmeleri bile ilikleniyor. Geriye doğru bir adım atıyorum.

"Sence komik değil mi?" diye soruyor Llew. "Hadi ama." Kendini süzüyor. "Halime baksana! Misafirlerden birinindi herhalde. Değişik bir tip olmalı bu takımın sahibi."

Takım ona yakışmış. Daha yumuşak bir dönemde, terasın ahşap döşemeleri üzerinde ayaklarını açıp dimdik durduğunu görebiliyorum. Denize baktığını, bir şeyler beklediğini, dalgaların işaretlerini tahlil ettiğini. Ah, sevdiğim adam.

"Komik gerçekten," diyorum sonunda.

Annemiz yıllardır kullanılmaktan eprimiş beyaz takımı giymediyse ne giydi giderken? Ayağı kayarsa düşüşünü yumuşatsın diye bütün bedenini müslinlere mi sardı, ağzına kumaş topları mı tıktı? Bunu düşünmek istemiyorum.

Son birkaç gündür yaptığımız gibi konuşmadan odama gidiyoruz ama elbisemi başımın üstünden sıyırdığım zaman beni görmüyor bile, kendini yatağa atıyor, takım elbiseyi unutuyor artık. Yine zor biri oluyor.

"Canım istiyor mu bilmiyorum," diyor bana.

"Neden istemiyorsun?" diye soruyorum.

"İstemiyorum işte," diyor.

"Lütfen," diyorum öfkeyle ama alttan alta biraz korkarak.

"Ah Lia," diyor. Beni yanlış anlıyor, uzanıp çenemi okşuyor. "Yapma. Seni üzmek istemedim."

İşe yarıyor, sonuçta. Arada bir fazla ileri gidip gitme-diğini düşünüyormuş gibi duraksıyor.

"Devam et," diyorum duraksadığı zaman –bir, iki, üç kez– ve devam ediyor, elleri boynumu sıkıyor.

Sonradan başım dönüyor. Bedenim düğüm düğüm, en büyüğü de boğazımda. Klozetin önünde diz çöküyo-rum ama midemden bir şey çıkmıyor. Küvetin kenarına oturup öğürmemi seyrediyor.

"Sakın hamile kalayım deme," diyor. Sesi kaygılı.

"Ne?" diyorum.

"Ne demek *ne?*"

"Bir şey yok," diyorum, yavaşça ayağa kalkarken.

"Önlem alıyorsun, değil mi?" diyor.

İçtiğim bardak bardak suları, bacaklarımdaki yarala-rı, sıcak suyu, aldığım duşları hayal ediyorum. "Evet," diyorum, benimle ilgilendiğini görünce içimin yağları eriyor.

"Peki o halde," diyor. "Bunu daha önce konuşmamız gerekirdi. Ama dikkatli davranıyorsan sorun yok." Ense-sini kaşıyor.

Gözlerim zonkluyor, bir an her yer kararıyor. Başım hâlâ dönüyor, hâlâ sersemlemiş haldeyim, parçaları bir-leştirmekte gönülsüzüm.

"Biraz uzanacağım," diyorum ona. Benimle kalacağı-nı umuyorum ama ışığı söndürüp çıkıyor, kapıyı arkasın-dan kapıyor. Beni öpmüyor, çıkarken dönüp bana bak-mıyor bile, sadece elini şöyle bir sallayıp gidiyor.

Mutfakta yerde uğunan annemi hatırlıyorum, Kral hâlâ hayattayken. Kollarını dizlerine dolamıştı; bir fetüs gibi kıvrılmış yatıyordu. Ay ışığında omuzlarına dökülen saçları su gibi görünüyordu. Ben de çıt çıkarmadan orada durmuş onu seyrediyor, *Bir battaniye al, bir şey ser altına,*

*yukarıda sıcak yatağın beklerken, kolları açık seni bekleyen*
*insanlar varken neden oraya yatıyorsun?* diyordum içimden. Öfkeleniyordum da, çünkü seviliyordu. *Anne, gerçek*
*ten gerek yok bunlara.* Fakat şimdi anlayabiliyorum neden
yere yattığını, neden sert ve soğuk bir yer aradığını.

Uyandığımda başıma dikilen kişi James, Llew değil.
Akşam yemeği saatine kadar uyumuşum. "Seni çağırmaya gönderdiler beni. Haydi gel," diyor. Odanın havası uykumdan ağırlaşmış, perdeler çekili. Odanın düzensizliğine, etrafa atılmış eşyalara baktığını görüyorum.

"Llew nerede?" diye soruyorum, aklımda yalnız o.

"Aşağıda bir şeyler yapıyor," diyor. "Sabah kendini
kötü hissettiğini söyledi. Başın mı dönüyor?"

Kaygılı yüzüne bakıp başımı sallıyorum.

"O zaman bana tutun kalkarken," diyor. Kollarını
tutup doğruluyorum. "Ah. Üzerine bir şeyler giymek gerek," diyor, bakışlarını çevirerek. O zaman üstümde yalnızca iç çamaşırım olduğunu fark ediyorum, öğleden
sonra saatlerinde bir ara giysilerimi çıkarıp atmış olmalıyım. Beni böyle görmesi fazla umurumda değil. Çoktan
hasar gördüm. Yerde bir keten yığını gibi duran elbisemi
görüyor.

"Dön ve kollarını havaya kaldır," diyor bana. "Sana
bakmam."

Serin kumaşı başımın üstünden geçiriyorum, elbisemi giyiyorum. Bir an onun mu bana dokunmasını istiyorum yoksa herhangi birinin mi dokunmasını emin olamıyorum. Odaya girdiğinde, birkaç saniye için Llew olduğunu sandım. Taviz vermeye alışkınım.

"Böyle daha iyi," diyor, elbisemi düzeltirken. "Şimdi
oldu. İnsan içine çıkabilirsin." Omzuma hafifçe pat pat
vuruyor.

"Annemiz ne zaman dönecek?" diye soruyor Sky akşam yemeğinde Grace'e, huzursuz bir tavırla. Tabağımdaki soğuk konserve bezelyeleri çatalımla itiyorum, yavaş yavaş ezip püreye dönüştürüyorum.

"Yarın," diyor Grace, bir an duraksadıktan sonra.

"Söz veriyor musun?" diye soruyor Sky.

Grace'in evet demesini bekliyorum ama onun yerine ayağa kalkıyor. Çatalı hâlâ elinde. Nereden çıktığını bilmiyormuş gibi bir an şaşkınlıkla çatala baktıktan sonra onu yere atıyor. Parkede tıngırdıyor çatal. Çıkıp gidiyor Grace. Arkasından bakıyoruz. James kalkıp peşinden gitmek istiyor.

"Bırak onu," diye uyarıyorum. Dört kişinin sessiz bakışları altında yere çömelip çatalı alıyorum. Sky kalkıp ablamızın peşinden gidiyor. Ben kalıyorum.

Erkekler hararetle sohbet ediyor. Hepsinin yanakları, kolları pembeleşti. Gwil farklı bir çocuğa dönüştü, eskisi gibi cılız ve düşünceli değil artık. Tabağının kenarına bıçağıyla tık tık vuruyor, Llew de James de ona durmasını söylemiyor, bir yerlerden tanıdıkları başka bir adam hakkında konuşuyorlar. Başka adamlar beni ilgilendirmiyor. Gwil gözlerini dikip bana bakıyor, onu durdurmam için meydan okuyor, sonra bıçağını tabağa daha hızlı vurmaya başlıyor. Küçük boğazını sıkmak istiyorum ama yapmıyorum bunu.

Akşam yemeğinden sonra kapıları birer birer açıyor, kızkardeşlerimi arıyorum. Lobide, yatak odalarında, annemizin odasında yoklar. Sonunda Sky'ı benimkinden birkaç kapı ötedeki kullanılmayan odalardan birinde tek başına buluyorum, pencerenin önünde, ışıkta geriniyor. Kısa saçlarını görünce hâlâ şaşırıyorum. Artık bizden biri gibi görünmüyor ama belki de benim dönüşü olmayacak şekilde değişen, yeni sevgiye içinde yer açan. Belki de bir ağacın üç dalı olmamıştık hiçbir zaman, iç içe geçmiş kızlar değildik.

"Grace nerede?" diye soruyorum. Sky kapısı kapalı banyoyu işaret ediyor.

"Banyo yapıyor," diyor. "İstersen içeri girebilirsin."

Banyonun kapısını tıklatıyorum, Grace alçak sesle girmemi söylüyor. Suyun altına neredeyse tamamen yatmış, bedenini minik baloncuklar kaplıyor, siyah saçlarının arasında minik boncuklar gibi duruyorlar. Başını sudan çıkardığında saçlarını Sky gibi kısacık kesmiş olduğunu görüyorum. Perdeler çekili. Küvetin kenarına oturup elimi suya sokuyorum; soğuk. Suyun yüzeyine çıkan ayak parmaklarına annemiz gibi kiraz kırmızısı oje sürmüş.

"Sky sürdü ojeyi," diyor, ayaklarına baktığımı görünce. "İstersen senin tırnaklarını da boyar, herhalde." Suları taşırarak dibe dalıyor yeniden.

"Saçların," diyorum boşu boşuna, sırtımdaki ağır saç örgüsünü hissederek. Grace elini başına götürüyor.

"Evet," diyor. "Sky haklıydı. Böyle çok daha rahatım." Köşedeki metal çöp kovasını işaret ediyor. "Hepsi içinde. İstersen bakabilirsin."

Bakmak istemiyorum.

"Su soğuk," diyorum onun yerine.

"Öyle tercih ediyorum," diyor. "Hava çok sıcak zaten." Bakışlarını üzerime dikiyor. "Erkekler geldiğinden beri nasıl da ısındı, fark ettin mi?"

"Tesadüf," diyorum güçsüzce, söylediklerime kendim bile inanmadan. Geceleri tenime serpilmiş gibi su damlaları akıyor üzerimden. Dizlerimin arkasında ve ayak bileklerimde sivrisinek ısırıkları. Bitkinim, bu bedeni pusların içinde hareket ettirmekten yoruldum.

"Boş versene," diyor neşeyle. "Olsun, zaten önemi yok. Şimdilik. Bütün dünya erisin, ne fark eder ki. Darmadağın olsun dünya." Küvetin kenarından sızan sular seramiklerde birikiyor. Başını suyun bulanık yüzeyinin altına sokuyor, başına yapışan saçlarıyla derin bir nefes vererek suyun altından çıkışını endişeyle izliyorum.

"Yanlış bir şey yapmıyoruz," diyorum ona.

"Bize ihanet ettin," diyor açıkça.

"Doğru değil," diyorum. Ama doğru olduğunu biliyorum.

"Lia," diyor. "Tehlikeli biri o." Başını birden beklenmedik bir şekilde ıslak ellerinin arasına gömüyor ama ağlamıyor.

"Tek acı çeken sen değilsin," diyor, yüzünü bana doğru kaldırarak. Öyle güzel ki. Hissettikleri, benim aksime, yüzünden okunmuyor. Bir saniyeliğine, babamın elime ilk kez keskin bir nesne verişini hatırlıyorum. Onu kullanmak ne kadar mantıklı ve anlamlı gelmişti, çünkü benim kanım kızkardeşlerimin kanından daha da kırmızıydı. Daha yoğundu. Duygularım boynumda atan nabız kadar fiziksel ve ölçülebilirdi.

"Ama seni affetmeye karar verdim," diyor, uzun bir sessizlikten sonra. "Yardımıma ihtiyacın olduğunu biliyorum."

Bunu duyunca ağlıyorum. *Evet, yardımına ihtiyacım var. Var.*

"Her şey sırasıyla," diyor. "Bundan böyle bedenini koruyacaksın."

Nasıl, diye soruyorum, ağzıma tuzlu su akarken.

Banyo suyuma sirke ve karbonat ekleyebileceğimi söylüyor. En azından suya tuz atmalı, sıcak suya girmeli, içinde rahat edemeyeceğim kadar sıcak suyla yıkanmalıymışım.

"Bebek istemiyoruz," diyor. "Denizden geldikleri falan yok tabii."

Ağzım açık ona bakıyorum. Llew'ün bana daha önce söylediklerini şimdi anlıyorum. Sonunda Grace'in ne demek istediğini de anlıyorum.

"Bana bu konuda hiçbir şey sorma," diyor, düşüncelerimi okumuş gibi. "Asla sorma."

Sormuyorum. Saçlarım, diyorum onun yerine, çektiğim zaman elimde kalıyorlar. Bir de kulaklarım, gözlerim, kalbim.

"Yakından bakma ona," diyor. "Doğrudan teması kısıtlamaya çalış. Giysilerinin üstünden dokun ona, mecbursan."

Şoktayım.

"Yapamıyorsan boş ver," diyor, kaderini kabullenmiş gibi. "En çok sıkıntı çekecek olan sensin."

*Ateşkes.*

Suda kımıldıyor, sanki o anda içeri girmişim gibi, beni ilk kez görüyormuş gibi bakıyor bana. Bacaklarıma bakıyor, eteğimi çekiştiriyorum.

"Annemizle Kral'ın sana karşı çok zalim olduğunu düşündüm sık sık," diyor elime dokunarak. "Keşke her şey başka türlü olabilseydi."

Belki de çok geç değildir. Ona annemizin odasına gidebilir miyiz diye soruyorum, üçümüz birlikte. Dizlerini göğsüne çekip suyun içinde bir süre bunu düşünüyor.

"Tamam," diyor elini bana uzatarak. "Yardım et bana."

Parmaklarının ucundaki deri büzüşmüş, yumuşamış. Havlusunu tutuyorum, hâlâ şiş karnının altındaki kalça kemiklerinin narin çıkıntılarını görüyorum. Güçsüzleşiyoruz.

Annemizin odasında demirlerin önünde duruyoruz. Üstünde isim yazmayan demir utanç yüklü, parlıyor.

"Neden yeniden çekiliş yapmıyoruz?" diye soruyorum kızkardeşlerime. "Annemiz de yokken. Neden erkekleri de dahil edip onlarla birlikte çekiliş yapmıyoruz?" Yüzlerine bakıyorum, düşünceme destek olmalarını bekliyorum. "Veya kendi aramızda yapalım çekilişi?"

Sessiz kalıyorlar. Hasarlı bir şeyi görmezden gelmek, onunla aranıza mesafe koymak kolay.

"Bunun bir şeyi çözeceğini sanmıyorum Lia," diyor Grace, sonunda. Göğsüm ağrıyor. Boğazımı rahatlatmak için öksürüyorum.

"Peki o zaman, madem öyle," diyorum, girdiğimiz gibi hızla çıkıyoruz odadan. Grace kolunu Sky'ın omzuna öyle rahat bir tavırla atıyor ki, ıslak teniyle elbiseyi ıslattığı yerlerde kumaş şeffaflaşıyor. Islak kumaş ince ve mavi, bir an için aklıma uzuvları büzüşmüş bir hayalet geliyor. Bu resmi kafamdan atmak için başımı sallamak zorunda kalıyorum.

*Kendi işimi kendim halletmeye karar verdim, ben de kinci olabilirdim. Bir bardak suda aspirin gibi çözülmesini sağlayabilir, yere devrilip benden merhamet dilenmesini sağlayabilirdim. Neden olmasın? Tek başımaydım, kadınlarım plana dahil olmak istemiyorlardı. Bana bunu yapmaya çalışırken öleceğimi söylediler. Onlara umurumda olmadığını söyledim. Gerçekten de değildi.*

Annemizin yokluğundaki altıncı gün kalkar kalkmaz bir şeyler yemeye bile zahmet etmeden dışarı çıkıyorum. Koridorlarda kimse yok, bir an için bir teknenin geldiğini, herkesin o tekneye bindiğini hayal ediyorum. Fakat yalnızca gerçek olmadığı için keyifli bu hayal. Geçen yıldan öğrendiğim bir şey varsa, o da yalnızlığın aşındırıcı olduğu. Yalnızlıkla başa çıkabilen biri değilim ben.

Holdeki şömine rafının üstünde tek başına duran bir nesnenin, bir vazonun ağzına parmağımı sürüyorum, parmağımı toz kaplıyor. Vazo yalnız ama içinde kendi sesini dinleyerek ölen, porselene çarparak boğuk bir vızıltı çıkaran bir yabanarısı var. *Beter ol*, diyorum sessizce.

Gece bir ara yatağımda tek başıma uyandım ve onun için yapmayacağım hiçbir şey olmadığını anladım. Aklımda başka hiçbir düşünce yokken, gündelik duyguların, meşguliyetlerin yokluğunda çok basit bir şey gibi geldi. Bütün taşlar yerine oturduğunda aşkın ne kadar dolaysız olabileceğini anımsattı.

Llew'ü bulduğumda Gwil'le tenis oynuyorlar. Kortun kenarındaki kumlara bağdaş kurup oturuyor, tırnaklarımı kemiriyor, birbirlerine gönderdikleri toptan çıkan sesi dinliyorum. Gwil'in "Evet!" haykırışları, Llew'ün karşılık olarak gülüşü. Çocuğun kazanmasına izin veriyor olmalı. Sandaletli ayaklarım tozlu. Tırnaklarımı ayak bileğimin önüne geçiriyorum, bastırıyorum, böcek ısırmış gibi bir iz kalıyor geride. Ter içinde sahadan çıkmaları saatler sürmüş gibi geliyor bana. Llew, Gwil'in eline eliyle vuruyor, kollarını havaya kaldırıp bana dönüyor.

"Nasıl gidiyor?" diyor. Yüzündeki gülümseme hafiften siliniyor. Gwil raketini havaya savurarak bizi dinliyor.

"Gelip seni bulayım dedim," diyorum, mahcup bir tavırla. "Bir şey istiyor musun sorayım dedim." *Ne istersin* demiyorum, *ne istersen yaparız* demiyorum çocuğun önünde. Gerçi orada olmasa dizüstü çöküp yalvarmaya başlayabilirim.

"Meşgulüm," diyor. "Kusura bakma." Gwil'e dönüyor. "Bir maç daha?" Çocuk başıyla onaylıyor. Korta yürüdükleri sırada peşlerinden koşuyorum. Llew'ü kolundan yakalıyorum, duruyor.

"Lütfen," diyorum, ağzım kupkuru. "Lütfen. Anlamıyorsun." Kolunu benden kurtarmaya çalışıyor ama yapışıp bırakmıyorum. Beni itiyor, sonra daha kuvvetli bir şekilde yeniden itiyor ama bırakmıyorum onu.

"Kıpırdama!" diyorum ona, bağırarak. "Lütfen." Aşkın hızlı bir esinti gibi yanımdan geçip gittiğini hissedebiliyorum. Giderden akan su gibi. Kendimi küçük düşürmeye hazırım, eğer gereken buysa. Beni üçüncü kez itiyor ve sırtüstü devriliyorum, yere yapışıyorum. Sonunda dizlerimin üstündeyim işte. Gwil telaşla bana bakıyor.

"Neyin var senin?" diye soruyor Llew bana, kolunu ovuşturarak.

"Bir şeyim yok!" diyorum. "Ama yanımda kal. Benimle kal." Ayağa kalkıyorum, yeniden üzerine atılıyorum ama geri çekiliyor.

"Çocuğun önünde yapmasan olmaz mı?" diyor. "Bir saniye olsun normal davranamaz mısın?"

Herkes gibi sevmek benim doğama neden bu kadar aykırı bilmiyorum. Llew ellerini kaldırıyor, Gwil'e arkasına geçmesini işaret ediyor, sanki tehlikeliymişim, iğrençmişim gibi. Belki de öyleyimdir. *Biliyor olmalı*, diye düşünüyorum, kendimden geçmiş gibi. *Neler olduğunu anlayabiliyor olmalı, o yaşta bile. Ne olursa olsun bir erkek. Bunların hepsi onun geleceği, onun mirası, onun hakkı.*

"Bu kadarı biraz fazla olmuyor mu?" diyor Llew, daha nazik davranmaya çalışarak, ortalığı yatıştırmak için. "Sana ne oldu böyle?" Duraksıyor. Muhtaçlığım yüzünden utandırmaya çalışıyor beni, bunu anlıyorum ama ne yazık ki bu açıdan utanma nedir bilmiyorum, gereksinimimi soran herkese tekrar tekrar anlatmaktan çekinmem. Yapabilsem tuhaf ve dirayetsiz kalbimi göğsümden çıkarır, teşhir eder, sorumluluktan kurtulurdum.

Yüzüne var gücümle tokat attığım zaman başta çok şaşırıyor.

"Bana vurdun," diyor, eliyle hasarı yoklayarak. Hasar minimal. "Bunu yapabileceğini hiç sanmazdım."

Gwil elindeki raketi bırakıyor. Kortun diğer ucuna koşuyor, bağırarak yardım istiyor ama etrafta kimse yok.

Llew'e yeniden vurmaya çalışıyorum ama bileklerimi yakalayıp sıkı sıkı tutuyor.

"Tamam," diyor. "Bu kadarı yetti artık." Beni sarsıyor. "Kendine gel."

Bedenimin teninde bıraktığı iz soluyor şimdiden. Bütün gücümle vurdum ama hemen hiç etkisi olmadı. Öfkem ona dokunamaz, ciddiye alınacak bir öfke bile değil benimkisi. Sürekli benden uzaklaşıyor.

"Aramızdakiler güzeldi, biliyorum. Ama sana ait değilim ben ulan," diyor. Mücadele etmeyi bırakıp karşısında pısıyorum, yanan gözlerimle ona bakıyorum. Bileklerimi hâlâ acıtacak kadar sıkı tutuyor, avuçlarım bembeyaz. Kımıldayamıyorum, kımıldamak da istemiyorum.

"Böyle bir fikre kapılmana neden olacak bir şey yaptığımı sanmıyorum."

O âna dek yüksek sesle *seviyorum* demediğini fark ediyorum. Belki şimdi söyler. Bileklerimi bırakıyor, elini yüzüme uzatıyor, eklemleri nazikçe yanağımı okşuyor. O an geçiyor.

Beni kortta bırakıyorlar. Küflü tenis toplarını kolum ağrıyana kadar yere atıyorum, kendi melodramımdan sıkılana kadar fileyi tekmeliyorum. Hava kapanıyor, kararıyor. Eve dönünce lobide James'i görüyorum, tek başına kanepede oturuyor. Işığı açıyorum, sonra kapatıyorum. Durduğum yerden onu seyrediyorum.

"İçki ister misin?" diyor, elindeki şişeyi havaya kaldırarak. "Biraz erken, biliyorum."

"İçki insanı öldürür," diyorum.

"Her şey öldürür insanı," diyor bana, buz dolu bardağından bir yudum alırken. Rahat etmesini sağlayacak her şey elinin altında ama bunlar ona iyi gelmiyor sanki. "Benim yaşıma gelince bedeniyle ilgilenmeyi bırakıyor insan."

"Yaşlı değilsin sen," diyorum. Doğru, yaşlı değil, şaşkınlıkla fark ediyorum bunu. İkisinin de sakalı uzadı. James'in sakalı biraz daha kır ama çok da fark yok aralarında.

"Bunlar için çok yaşlıyım," diyor bardağını dikerken. Gözlerimin içine bakıyor. "Mutlu musun? Merak ediyorum doğrusu."

Boğazıma bir şey tıkanıyor, fark ediyor bunu. "Seni üzmek istemedim," diyor. "Gel. Otur." Yanındaki yastığa pat pat vuruyor, gidip kanepenin kenarına ilişiyorum.

"Siz zavallı kızlar," diyor, sanki kendi kendine konuşur gibi. "Bunca zamandır burada yalnızsınız." Elini nazikçe sırtıma koyuyor. Aklıma bir fikir geliyor. "Ama artık sizi koruyabiliriz, değil mi?"

Bedenimi onunkine yaklaştırıyor, başımı omzuna yaslıyorum. Teni sıcak, deniz suyu kokuyor. Bana iyi davrandı, nazik davrandı. Onu öpmek korkunç falan değil. Karşılık veriyor. Elini yüzüme, boynuma, omzuma koyuyor ama sonra duruyor, başını iki yana sallayıp ayağa kalkıyor.

"Affedersin," diyor. "Bunu yapmamalıydım."

"İstemiyor musun?" diye soruyorum. "Güzel değil miydi?" Sert eklemli parmaklarını yakalıyorum. Şaşırmış görünüyor.

"Lia," diyor elini çekerken. Odanın diğer ucundaki koltuklardan birine yığılıyor. "Tabii ki isterim. Çok tatlısın." Dizlerine bakıyor. "Ama doğru olmaz. Buraya bunun için gelmedik."

"Ama ben istiyorum," diyorum, cüretkârlaşarak, çaresizlikten.

"Size karşı sorumluluğumuz var," diyor. "Üzgünüm. Yapamam."

James elini alnına götürüp gözlerini kaparken yere bakıp Llew'ün canını yakmanın başka yollarını düşünüyorum.

*Bileğini, kolunu, boynunu kırsın diye ormana bir tuzak kurabilirim.*

*Onu ayartıp denize sokabilirim.*

*Yemeğine cam kırığı serpebilirim.*

"Ben zavallı bir adamım Lia," diyor James bana. Boğuk bir sesle gülüyor. "Erkek olmak korkunç bir şey bazen."

Ona inanmakta zorlanıyorum. Her şey düşünüldüğünde, o kadar korkunç görünmüyor erkek olmak.

Yeniden öfke, yeni diyemeyeceğim bir öfke çünkü çok tanıdık, başından beri beni bekleyen bir şey gibi. Kadınların acısı bir yerlerde takılıp kalmak zorundaydı. Yüzey toprağına, atmosferik kalıntılara karışıp billurlaşarak deniz sularının taşıdığı çakıllara dönüştü. Biz de onu yedik ve soluduk, onu parçamıza dönüştürdük.

Yıllar önce, Kral bize hayatımızı korumayı öğretti. Belki erkeklerin geleceğini önceden tahmin etmişti. Belki söylediklerinden daha fazlasını biliyordu. Sevgili babamın her şeyi bildiğini düşünmüştüm hep. Dünyanın gizemleri ona bir şekilde açılmıştı; bizim gördüklerimiz bir kabuktan ibaretti ve bu kabuğun altında evrenin başkalarının ulaşamadığı hakiki ve acayip kalbi yatıyordu.

"Size bunu öğretmek benim için zor," demişti, ayaklarımızın dibinde küçük bıçaklarla balo salonunda yan yana duran bizlere. Bıçaklar onun armağanıydı. "Annenize yaptıracaktım bunu ama sonra bizzat öğretmemin daha doğru olacağına karar verdim."

Annemiz salonda değildi. Uzun bir öğleden sonra banyosu yapıyordu, başlarımızın üzerinde bir yerde; küvetin suyunda yağ yüzüyordu. Tenine yumuşasın diye süt ve tuz maskesi sürüyordu. Öğreneceklerimizi yapmayı zaten biliyordu.

"Sınırın işe yaramadığı günler gelebilir, toksik hava denizin üstünde ilerleyebilir," dedi. "Bir gün ağzınız veya gözleriniz kanamaya başlayabilir. Bir gün anneniz ve ben sizi korumak için burada bulunamayabiliriz."

Bıçakları alıp onun yaptıklarını tekrarladık. Zarif hareketlerle. Ayrılan havayı, yarılan derimi hayal ettim. Kral bıçağı boynuna götürdü, teninden birkaç santim uzakta tuttu.

"Böyle," dedi, biz de gösterdiği gibi bıçaklarımızı bir, iki, üç kez çektik. "Kolayca halledersiniz."

"Kolayca," diye onayladı Grace. Işıldayan gözleriyle ona baktı Kral. Grace bıçağı yeniden hareket ettirdikten sonra dikkatle yere bıraktı.

Şöyle yapıyorum. Kanepede iki büklüm oturan James'i kendi haline bırakıp annemizin odasına gidiyorum. Bütün demirleri indiriyor, her yıl içinden çektiğimiz kumaş torbaya koyuyorum. Elimde demirleri koyduğum torbayla bahçeden, tatlı kuru otların ve su birikintilerinin, çürüyen şeylerin arasından geçtiğim sırada hava serinliyor. Yolda durup duvarın dibindeki fare leşine bakıyorum, artık kaburgaları görünüyor, kafatası açıkta. *İmdat*. Orman yakın. Burası karanlık, ben de kurtlar, yılanlar ve diğer sevgisiz yaratıklarla birlikte karanlığa aitim.

Devrilmiş ve içi çürüyüp boşalmış bir ağaç gövdesinin içine saklıyorum demirleri ve ağlıyorum şimdi, ah, yaptım işte bunu bile. Döndüğü zaman bana çok kızacak annemiz. Beni kovabilir bile. Ama sevgi yoksunluğu insanı böyle yapıyor işte, diyeceğim ona, açıklayabilirim durumu. Artık dayanamaz hale gelince böyle oluyor işte. Bunların hepsinin bir uyanış olduğunu söyleyeceğim ona, bu hummalı hayalin, bu keşfin. Kanım yeni hastalıkla kaynıyor. Fazla zamanım kalmadı, hissediyorum, ama yine de söylemek istiyorum ona, döndüğü zaman. Ellerini derin bir şefkatle sıkı sıkı tutup bunu telafi etmek için yaptığımı söylemek istiyorum. En içten sevgi eylemim bu benim.

Lateks eldivenleri şaklatarak keyifle ellerime geçirip akşam yemeğini hazırlıyorum. Eskisinden daha iyi, yeni bir deri. Kızkardeşlerimi de kendimle birlikte dibe çekmemem gerektiğini hissediyorum, onları kendimi koruduğumdan daha iyi korumaya karar veriyorum. Konservelerden, kuru gıdalardan, James'in yakalayıp içini açtığı birkaç yengeçten devşirdiğim akşam yemeğini kimse iştahla yemiyor. Llew yemeğe gelmiyor, kortta olanlardan sonra onu düşündüğüm zaman titriyorum hâlâ. Ağustosböcekleri öyle yüksek sesle ötüyor ki pencereleri kapatıyoruz, onları dışarı hapsediyoruz. Kızkardeşlerim çiğniyor ve tükürüyor, çiğniyor ve tükürüyor, şikâyet ediyorlar. Dirseklerinin ve dizlerinin derisi tıpkı benimki gibi güneşten ve tuzlu sudan çatlamış. Yemeğimi yerken eldivenleri çıkarmıyorum, kimse bir şey demiyor. Bulaşıkları yıkarken elim sabunlu lastik balonun içine ölü bir pençeye dönüyor, onu satırla kesip atmamak için kendimi zor tutuyorum.

Akşam yemeğinden sonra üçümüz terasa çıkıyoruz ve deniz yeni bir hayalet sergiliyor bize. Hayaleti önce Sky görüyor, çığlığı basıyor. Erkekler geldiğinden beri öyle sık çığlık atıyor ki hemen yanına koşmuyoruz. Ama "Hayalet!" diye bağırdığını duyunca şezlonglarımızda doğruluyoruz, kalkıp parmaklıklara koşuyoruz. Onun düşürdüğü dürbüne uzanıyorum, suya bakıyorum. Grace uzanıp Sky'a sarılıyor ama kızkardeşimiz onun kollarından kurtulup terasın diğer ucuna koşuyor, parmaklıkların üzerinden eğilip öğürmeye başlıyor.

Benim bakmam gerekiyor. Bu hayalet geçen seferkinden daha yakında, insana benzediği geçen seferkinden daha net görülüyor. Derisi solgun mavi, bebekten bile daha solgun, uzuvları şiş. Grace dürbünü çekiştirip ağzını kulağıma yaklaştırıyor.

"Annemiz mi?" diye soruyor. "O mu?"

"Anlayamıyorum buradan," diyorum. Makul inkâr "Anlayamıyorum." Dürbünü ona verip parmaklıkların yanındaki Sky'a gidiyorum, aşağıdaki taşlı zemine bakarak derin derin nefes alıyor hâlâ.

Grace uzun süre dürbünle hayaleti seyrediyor.

"Bence o değil," diyor sonunda. "O olsa bize gelirdi."

"Yaklaşıyor mu?" diye haykırıyor Sky. Yüzü çok solgun.

"Olabilir," diyor Grace. "Bir görünüp bir kayboluyor. Onu gözleyelim."

Kral bir keresinde insanın her şeye alışacağını söylemişti, hayalet o kadar kısa sürede normalleşiyor ki şaşıyorum. Grace ve ben gözleme görevini sırayla yerine getiriyoruz ki Sky bir daha ona bakmak zorunda kalmasın. "Sence nereden geldi?" diye soruyorum. Dürbünü bana uzatıyor, önce hayaletin üstünde bir yere, havaya bakıyorum, gözlerim alışınca dürbünü indirip ona odaklanıyorum.

"Denizden," diyor. "Deniz ölüleri geri veriyor."

"Neden?" diye soruyorum.

"Çünkü her şey mahvoldu," diyor. Yan yan bana bakmasa da neyi kastettiğini biliyorum.

Hayaletin üzerinde annemizin üzerinde gördüğümüz elbiselerden biri yok. Hatta üzerinde giysi yok sanırım. Çok uzakta olduğu için hatlarını göremiyoruz ama dürüst olmak gerekirse memnunum bundan. Sudaki annemizse bunu bilmemeyi tercih ederim.

Dalgaların arasında inip çıkan ama sahile bir türlü yaklaşmayan hayaleti seyrederken göğsümde bir keder yumruğu açılıyor. Aramızdaki havaya dolan yeni bir yanlışlık her şeyi yutmakla tehdit ediyor. Sizi seven insanlar çekip gittiğinde böyle olur. Koruma tılsımı artık işe yaramadığında.

Uzun zamandır tövbe ediyorum ama bu suçluluğun yükünü daha fazla taşıyamayacağım artık. Grace'i terasta bırakıp içeri giriyor, koridora, solgun halının üstüne oturuyorum. Benim için yanlış bir şey burası, iki ucu karanlık gölgelerle kaplı bu sonsuz ve sıkışık tünel. Artık yok sayamadığım boğucu sessizlik de annemizin yokluğunda korkunçlaşıyor. Kullanılmayan odalardan birine çekilip soluklanmaya çalışıyorum, ince havayı zar zor çekiyorum içime, ellerim ve dizlerimin üstünde banyoya gidiyorum, orada bir an için daha güvende hissediyorum kendimi. Yüzü olmayan kadınların kendi acılarını boşalttığı, diz çöküp safra ve su kustuğu, çıkaracak ses kalmayana kadar ağladığı yerde.

Annemiz. Eteğinin kenarı eprimiş eski, uzun elbiseleri. Dökülen saç telleri, her yemekte masaya düşen ve uzun sekizler çizerek örtüde öylece kalan saç telleri. Çekici, sağlıklı bir kadın olmanın anlamını özümsemişti, bedeninin her gün ona biraz daha ihanet edişini röntgencilerin suçluluğuyla izlemiştik.

Bize sürekli bizim için hayatını vereceğini söylerdi. Umurumda değildi çünkü annelerin hep söylediği şeylerden biri sanıyordum bunu. *Benim de senin için aynısını yapmam mı gerekiyor*, diye düşünürdüm dehşeti andıran bir hisle, *çünkü yapabileceğimden emin değilim*.

Ayağımızı bir anda kaydırabilme becerisinden, aynı cümlede, aynı eylemde hem zalim hem nazik olabilmesinden hep korkmuştum. Grace'te de görebiliyorum aynısını. Anne olmanın önkoşullarından biri bu herhalde, içinde başka birini büyütmek insanı böyle sevecen ve kalpsiz yapıyor olmalı, basit duygudaşlık alınıp yerine daha temel, hayatta kalmayı daha fazla garantileyen bir şey yerleştirilmiş gibi.

Beni bulmaya James geliyor, yeniden. Koca bedeniyle diz çöküp lavabonun altında iki büklüm oturuşuma bakıyor. Bakışlarında panik var.

"Gördün, değil mi?" diyor.

Başımı sallıyorum.

"Benimle gel," diyor. "Hepimiz aşağıdayız." Ellerini uzatıyor.

Erkeklerin yüzleri asık, Gwil'in yüzü bile. Üçü lobinin diğer ucunda, karşımızda oturuyorlar. "Nereden geldi?" diye soruyoruz tekrar tekrar, bizden daha fazlasını bildiklerini sanarak. Grace yüzlerini kuşkuyla iyice inceliyor.

"Annemiz mi?" diye soruyor onlara doğrudan, erkekler başlarını hararetle iki yana sallıyor.

"Karadan gelmiş olmalı," diyor Llew. "Bir şeyler olmuş karada."

İpuçları, ipuçları. Gökyüzü başımıza çöküyor. Toprak çatırdıyor. Llew ve James bakışıyorlar.

"Görmenizi istemiyoruz," diyor James. "Hepimizin güvende olduğundan emin olana dek burada kalmalıyız."

İki adam ara ara ortalığı kolaçan etmek için dışarı çıkıyor, dolaşıp geliyorlar. Hava kararmaya başlayınca Llew bize su ve kraker, bir reçel kavanozu ve kaşık, bir kâse de sütlaç getiriyor ve gidiyor. Temkinli bir şekilde, bakışlarımızı tek kelime etmeyen Gwil'den ayırmadan yiyoruz bunları. Bakışlarını arkamızdaki duvara dikmiş oturuyor Gwil. Grace elinin tersiyle ağzını siliyor.

"Bundan biraz ister misin?" diye soruyor, sütlaç konservesini açıp ona uzatarak. Gwin başını iki yana sallayınca kutuyu geri çekiyor.

"Bebek," diyor Sky, alçak sesle. "Ahmak. Kendi evine gitsene sen."

Grace onu dürtüklüyor. "Kes şunu."

Sky omuz silkiyor. "Neden konuşmuyorsun?" diye soruyor çocuğa. "Neden kendini savunmuyorsun?"

Çocuk sabretmeye çalışan yaşlı biri gibi gözlerini yumuyor.

Onun küçük ve mağlup yüzüne bakarken büyüyünce verebileceği zararların her gün aklına gelip gelmediğini merak ediyorum. Üzerine gizli bir sözcük yazılmış ve özenle katlanmış, henüz anlayamadığı bir not gibi. Llew'ün daha önce kadınlara zarar verip vermediğini merak ediyorum. Verdiyse Gwil buna şahit oldu mu, ondan bir şeyler öğrendi mi şimdiden?

"Annen," diyorum ona, ormanda kızkardeşlerimin yaptığı gibi. Başını iki yana sallıyor ama canını yakmaya çalışmıyorum, bunları kötü niyetle sormuyorum. "Nerede o?"

Başını yeniden, bu kez daha hızlı sallıyor. "Ondan söz etmek istemiyorum," diyor. Gözleri yaşarıyor. Ona yaklaşıyorum, midem yeniden bulanıyor. Arkamda, kızkardeşlerim olanları izliyorlar.

"Bebek," diyor Sky yeniden. "Yalnızca bir soru sordu."

. Llew o kadını etinden başka birini yaratabilecek kadar çok seviyordu. Grace'in başına gelenlere tahammül edebilecek kadar çok seviyordu kadın da onu, kanlı hayvan odasına girebilecek kadar. O aşkın kanıtı karşımda oturuyor, gözlerine daha fazla yaş doluyor şimdi, yaşlar yanaklarından aşağı yuvarlanıyor, öfkeleniyorum, onun ne anlama geldiğini anlayınca çok kıskanıyorum birden; işte hak talep edemeyeceğim bir sevgi daha.

"Bize anneni anlatsana Gwil," diyorum yeniden. "Bize kadınlarınızı anlat."

Etrafına toplanıyoruz. Onu rahatlatmak için dokunuyoruz, omuzlarını, kollarını tutuyoruz; onu birazcık itiyoruz. Bize gerçekten zarar veremeyecek kadar ufak tefek; bunu fark edince birden neşeleniyoruz. Canavar değiliz biz. Onu parçalamaya falan çalışmıyoruz. Yalnızca anlamak isteyen kadınlarız.

Ona daha nazik davranmalıydım. Llew'ün beni sevmesini sağlamak için Gwil'i sevmeliydim, bunu şimdi anlıyorum. Bütün yetersizliklerimi, bütün eksikliklerimi görüyorum. Ellerim daha da hızlanıyor, dokunuşum sertleşiyor. Çocuk omuzlarını çekiyor, bize vuruyor, canımızı yakacak kadar sert vuruyor üstelik.

"Rahat bırakın beni," diyor keskin ve tiz bir sesle. Geri çekiliyoruz. "Gidin başımdan." Kalkıp kanepenin arkasına, her zamanki yerine geçiyor. Ağladığını duyuyoruz ve kısa bir süre için utanıyorum; neyse ki çok geçmeden sesi kesiliyor.

Sonra odadan çıkıyor. Öyle kötü hissediyoruz ki tek soru sormadan geçmesine izin veriyoruz, ondan özür dilemek için yalnız bırakıyoruz onu, korkulacak veya nefret edilecek yaratıklar olmadığımızı böylelikle kanıtlamak istiyoruz ona. Taş, kâğıt, makas oynayıp son krakerleri kimin yiyeceğine karar veriyoruz, sonra iyice sıkılıp kanepenin yanına, halıya uzanıyoruz. Grace'in yaktığı küçük lambanın ışığı onu turuncuya boyuyor.

Orada ne kadar zaman yatıyoruz bilmiyorum ama bir noktada havanın karardığını ve Gwil'in hâlâ dönmediğini fark ediyoruz. Odadan çıkmaya korkuyoruz, bu yüzden James'in dönüşünü bekliyoruz. Bizi yalnız bulduğu zaman omuz silkiyor, Gwil babasını bulmaya gitmiştir diye düşünüyor.

Llew döndüğü zaman çocuk yanında değil. Kızkardeşlerim ve ben uykuya dalıp dalıp uyanıyoruz, tırnaklarımızı avuçlarımıza geçirip ayaklarımızı sandalyelere, yerlere vuruyoruz çünkü uyumak savunmasız kalmak demektir. James şaşırmış görünüyor. Bir anda her şey değişiyor.

El fenerlerinin ışığında arıyoruz. Her yeri dolaşıyoruz. Bahçenin ölen çimleri ayaklarımızın altında uzun, çalıların altını, ağaçların arkasına yoklamak için eğildiğimizde ellerimize değen çimenler uzun. Llew bir şey söylemiyor, arada bir oğluna adıyla sesleniyor yalnızca. Ona dokunmamam, yanına gitmemem gerektiğini biliyorum.

Sahil de boş, sandal iskelede bir başına bekliyor. Dalgalar küçük yalama sesleri çıkarıyor. Üçümüz bakışıyoruz. Aradığımız diğer zamanları hatırlıyoruz.

"Lanet olsun," diyor Llew, kömür ambarını kontrol ettikten sonra. Yere bir tekme savuruyor, dönüp bizden başka yerlere, gökyüzüne bakıyor. "Lanet olsun!"

Belki de toprak yuttu onu. Belki annemizi de toprak yuttu. Belki birer birer alıyor hepimizi. Bir şey gizlice evimize girdi ve onları canlı canlı yedi. Annemizin yokluğu ve Gwil'in yokluğu aynı karanlığa dönüşüyor. Çok korkuyorum. Llew ağlamıyor ama yüzü gergin, içinde bir şeyler oluyor; bahçede dolaşıp Llew'ün "Gwil!" diye haykıran sesini duydukça hepimizin içinde bir şeyler oluyor. Üzüntümü, paniğimi tanıyamıyorum, hangisi bana ait, hangisi Llew'e, bilmiyorum. Aşk beni benmerkezci yaptı, beni açgözlü yaptı, doğru dürüst düşünemiyorum. Ormanın kıyısında kalın bir köke takılıp yere düştüğüm zaman beni kuru topraktan kızkardeşlerim kaldırıyor.

Eve dönünce tere ve toza batmış halde yeniden lobide toplanıyoruz. Kızkardeşlerim ve ben gitmek istiyoruz ama Llew kalkıp kapının önüne geçiyor.

"Burada kalacaksınız," diyor. "Kendi güvenliğiniz için." Gözlerinde katilce bir bakış.

Onu itip geçmeye çalışan Grace'i kollarından yakalayıp kolayca durduruyor.

"Burada kalacaksın," diyor ısrarla. Parmaklarını onun etine batırıyor. Sanki kendi derimde hissediyorum parmaklarını.

"Odama gitmek istiyorum," diyor Grace. "Yoruldum."

"Burada uyuyabilirsiniz," diyor Llew. Yüzlerimize bakıyor tek tek. "Kanepelerde."

James dışarı çıkıyor, çok geçmeden su dolu bir matara ve boş bir kovayla geri dönüyor. Bunları şöminenin yanına bırakıyor.

"İyi geceler," diyor erkekler, ne olduğunu anlamamıza fırsat kalmadan çıkıyorlar, kapıyı dışarıdan kilitliyorlar.

Grace var gücüyle kapıya yüklenip boğuk bir sesle uluyor.

"Demek böyle başlıyormuş," diyor ama aslında çoktan başladı bile. Bizim için uzun zaman önce başladı.

Uyumuyoruz. Nöbet tutuyoruz. Aylardır ilk kez Kral'dan söz ediyoruz. Annemizden söz ediyoruz. Kral'ın küçük bir köpekbalığı yakalayışını hatırlatıyorum onlara, balığın sert etini yemiştik ama Kral önce onu bahçeye, bir ağaç dalına asmış, kanı yerdeki çimenlere damlayan köpekbalığının fotoğrafını çekmişti. Ellerimi bileklerime kadar ağzına sokmuştum.

Grace annemizle babamızın sarhoş olduğu günü anımsatıyor bize. Bir kış günüydü, şömineyi yakmışlardı, paketler dolusu yiyecek açmıştık, oturma odasında, yerde bir piknik yapıp her şeyi vahşiler gibi ellerimizle yemiştik. Kral küçük, desenli bardaklara viski doldurmuştu.

"Çatıya saklanışımızı hatırlıyor musunuz," diyor Sky, "bütün gün o dolapta beklemiştik." Kendimizi bir anda o dolapta buluyoruz, ölü çiçekler gibi karanlıkta kıvrılmışız. Annemizle babamızın ortadan kaybolduğumuzu ne zaman fark edeceklerini bilmek istiyorduk. Belki yarım gün sürmüştü yokluğumuzu fark etmeleri; hareketsizlikten kollarımız bacaklarımız uyuşmuştu ama saatlerce öyle kalabilmiştik yine de.

*Herkes biliyordu ama kimse yardım etmedi. Hepimizin boğazına takılan sırdı bu. Annem, kızkardeşlerim, teyzelerim bile. Birinden diğerine geçti. Bakışları, sen neden muaf kalasın? diyordu. Bizden daha iyi durumda olmaya ne hakkın var? Kalplerimizin yıllardır kanadığını göremiyor musun?*

Yedinci gün, şafağın ilk ışığında açıyor erkekler kapının kilidini. Mahcup bir halleri var. Diğerlerinin görmesine aldırmadan eliyle sırtımı ovuşturuyor Llew, beni öldürüyor bu şekilde ilk defa fark edilmek. Kimse bir şey demiyor. Erkekler bize yiyecek bir şeyler getiriyor; konserve meyve kokteyli, konserve armut. Dişimizin kovuğuna gitmiyor getirdikleri yiyecekler. Yemekten sonra yeniden Gwil'i aramaya çıkıyoruz. Ben Llew'la eşleşiyorum, kızkardeşlerim James'le. Hep birlikte ormana dönüyoruz.

Işıkta ve puslu sıcakta her yeri görüyoruz artık. Hayvanların kaşındığı ve uyuduğu yerdeki kalıntılar, toprakta kayarak ilerleyen yılanların bıraktığı izler. Llew durup izleri inceliyor. Engerekler zehirlidir. Kalbinizi durdururlar. Parmaklarınız ülserleşir, birer birer düşer. Bakışlarımı Llew'ün ensesinden ayıramıyorum, yakasıyla saçları arasındaki, dün dışarıda dolaşırken iyice kızaran hassas bölgeye bakıyorum sürekli. Derisi soyulmuş; canı yanıyor olmalı.

Gwil'i bulan James oluyor, sınırın hemen ötesinde, güneş tam tepedeyken. Llew ve ben düdük sesini duyuyoruz, Llew'ün boynu birisi tutup çekmiş gibi hızla sesten yana dönüyor. Arkasına bakmadan koşuyor.

Çocuğun etrafında toplandıklarını gördüğüm zaman, bedenini gördüğüm zaman neler olduğunu tahmin etmekte pek zorlanmıyorum. Gwil'in bacaklarındaki sıyrıklardan karanlıkta sınırda sendeleyerek dolaştığı, dikenli tellerin etini çizdiği anlaşılıyor ama onu bunlar öldürmüş olamaz. Elleri ve kolları, göğsü ve yanaklarında hedefleri andıran kırmızı beyaz daireler var. Vücudu şişmiş, eksi bir yastık gibi şekilsiz ve kabarık.

Eşekarıları. Ormanımızda yaşıyorlar, sürü halinde, yere yakın dolaşıyorlar. Daireler çizerek bahçeye yaklaştıklarını gördüğümüz zaman içeri kaçardık, tatlı meyvelere üşüşüp ölmelerini veya uçup gitmelerini beklerdik sessizce. Gwil'in kararlı bir tavırla sınırı aşıp orman altı bitkilerinin arasında yürüyüşünü hayal ediyorum. Arıların yuvasına çarpmış ve rahatsız olan böcekler çevresine üşüşünce çaresiz kalmış olmalıydı.

Erkekler Gwil'in biçimsiz bedenini ağaçların arasında taşıyorlar, sendeliyorlar, düşecek gibi oluyorlar ama yardım etmemize izin vermiyorlar, ona dokunmaya kalktığımız zaman korkunç sesler çıkarıyorlar. Taşlara ve dallara basmamaya özen göstererek peşlerinden yürüyoruz. Eve girince örtüleri yere atıp onu Llew'ün odasına yatırıyorlar. Açık kapının önünde duruyor, onları seyrediyoruz. Üzüntü her yanlarını kaplıyor. Göğüslerine doluyor. Onlardan uzaklaşmamız gerektiğini biliyorum. Llew iki eliyle Gwil'in ellerini tutuyor, var gücüyle sıkıyor. Kapının önünden bile görebiliyorum çocuğun parmaklarını ezdiğini.

"Onu korkuttunuz," diyor Llew. Bize doğru dönüyor. "Siz yaptırdınız ona bunu. Ona ne söylediniz?"

"Bir şey söylemedik," diyor Grace, sakince. "Evine dönmek istemiş olmalı."

Söylediği büyük ölçüde doğru ama yine de içim bulanıyor.

Llew bizi Grace'in odasına götürüyor. Eskiden resepsiyon masasının arkasında duran yedek anahtarları çıkarıyor cebinden.

"İçeri," diyor. Odaya adımımızı attığımız anda kapıyı arkamızdan kapatıyor, kilitliyor. Grace atılıp kapıyı yumruklamaya başlamıyor bu kez.

Grace'in yatağına giriyoruz, birbirimize sarılıp ağlıyoruz. Susadığımız zaman kalkıp tozlu bir bardağa banyodan su doldurup getiriyor, kızkardeşlerime su içiriyorum. Ağlamaya mola verdiğimiz zaman erkeklerin sesini duymaya çalışıyoruz. Grace hayat koruyan bıçağını komodinin üstüne koyuyor. "Ne olur ne olmaz," diyor bize ama gelip giden olmuyor, kapı bir türlü açılmıyor. Battaniyeleri başımızın üstüne çekince erkeklerin seslerini duyamıyoruz. Battaniyeler olmadan çok sessizler, duymazdan gelebileceğimiz kadar, rüzgârın oyunu sanabileceğimiz kadar sessiz.

Sky uyuyunca, Grace bana dönüyor. Bacaklarıma değen ayakları buz gibi. "Hep sıcaksın," diyor bana. "Şimdi bile." Değiştiğimi ima ediyor. *Ben hâlâ benim*, demek istiyorum ona. Paylaştığımız yastık çok geçmeden ıslanıyor.

"Öleceğiz," diyor kulağıma.

"Öyle söyleme," diyorum ama laf ağızdan çıktı bir kere, kesinlik hissiyle birlikte aramızda duruyor artık. Bir süre susuyoruz.

"Bebek erkekti, değil mi?" diyor. Soru sormuyor, görüş bildiriyor. Nefes alıyorum, nefes veriyorum. Ona evet dememe gerek yok.

"Belki de erkekler hayatta kalamıyordur burada," diyor. "Belki gerçekte böyle korunuyoruzdur." Sesinde beliren umut. Gözlerimi kapatıyorum.

"Grace," diyorum. "Grace. Sence annemiz öldü mü?"

Hemen cevap vermiyor.

"Hayır," diyor. "Bence ölmedi." Dönüp yüzüme bakıyor. "Yaptığı onca şeyden sonra ölmüş olamaz."

"Peki nerede sence?" diye soruyorum.

"Bence kayboldu," diyor Grace. "Sınırı geçmek zayıflattı onu. Bence hâlâ denizde. Belki yaralandı. Ama bizim için geliyor yine de."

Sky uyanıyor. "Anne," diye ağlıyor. "Annemiz."

Şşşş, diyoruz ona, şşşş. Ortamıza, Grace'le benim aramıza gelsin diye yer değiştiriyoruz. Saçlarını okşuyoruz.

"Gelecek annemiz," diyor Grace. "Yarın burada olacak. Teknesiyle denizden gelecek ve erkekler gidecek. Gidecekler, bir daha asla görmeyeceğiz onları."

Kollarımızı ona doluyoruz. Çok geçmeden bitkin bir uykuya yuvarlanıyor yeniden.

"Şimdi ne yapacağız?" diye soruyorum Grace'e, alçak sesle, Sky'ın nefes alıp verişinin yavaşladığını duyunca.

"Bekleyeceğiz," diyor Grace. "Ne kadar sürerse sürsün."


Sky uyurken Grace ve ben nöbetleşe kapıyı dinliyoruz, ağırlığımızı kapıya verip arkasında duruyoruz. Bir saç tokasıyla kilidi açmaya çalışıyorum ama başaramıyorum. Duyabileceğimiz her şeyi duyalım diye odadaki ve banyodaki her pencereyi açıyorum. Dünyanın hâlâ var olduğunu anımsatan taze hava şaşırtıyor bizi.

Gün ortasına doğru erkeklerin seslerini duyuyoruz, odamızın önünden geçiyorlar. Donup kalıyoruz, çıt çıkarmıyoruz ama adım sesleri hiç yavaşlamadan geçip uzaklaşıyor. Pencereden Gwil'in bir örtüye sarılı bedenini aşağıdaki sahile taşımalarını izliyoruz. Gwil'in bedeni bir alçalıyor bir yükseliyor. Adamların ikisi de uzaktan bile berbat görünüyor. James düşecek gibi oluyor ama

Llew adımlarını yere sağlam basıyor, sırtında bir kürek taşıyor. Görüş alanımızdan çıkıyorlar.

"Onu ormana götürüyorlar," diyor Grace.

Yaprakların ve toprağın altında yatan kadınlarla ilgili rüyalar görmeyeli uzun zaman oldu. Hain zihnimin saçma kurguları.

Epey zaman sonra sesler kesiliyor, erkekler geldikleri yoldan dönüyorlar, yüzleri asık ve kirli. Kirli elleriyle gözlerini ovuşturmuş, yanaklarını silmiş olmalılar.

Son yaklaşıyor. Onu elektrik akımı gibi hissediyoruz, veya migren başlangıcı gibi. Perdeleri aralayınca suyun cesetlerle dolu olmadığını görüp şaşırıyorum. Her zamanki deniz karşımda. Bugün biraz daha dalgalı, belki. Grace'in banyosunda dirseğimi seramik kaplı duvara çarpıyorum, kolumda beliren morluğa aynada bakıyorum.

Sky için dua ediyorum, ağır ve uysal harekeleri için, dünyaya geldiği ve bizlere bu kadar kolay uyum sağladığı için şükrediyorum. Taş ve küçük hayvan kemiği koleksiyonu için, gülüşü için, güneşte yanmış teni için, her nerede bıraktıysa kesilmiş saçları için dua ediyorum.

Annemiz için dua ediyorum, sert sesi ve hep hareket halindeki elleri için, güzel kokulu yağları, göz kalemi ve uykusuzluğu için, kötü bir sözcük gibi ağzında çevirip durduğu naneli pastiller için dua ediyorum.

Kral için dua ediyorum, artık her neredeyse. İçtenliği için dua ediyorum, tişörtlerindeki delikler için, akşam yemeğini hazırlama sırası ona geldiğinde masaya koyduğu tuhaf yiyecekler için; güçlenip sağlıklı olmamız için tasarladığı, bol yağlı ve ballı domatesler için dua ediyorum.

Hasarlı kadınlar için dua ediyorum, seyrelen saçları, çatlayan dudakları ve adakları, grup duası sırasında nadiren bana doladıkları kolları, su dolu şişkin karınları, bedenlerine yapışan ıslak giysileri ve acıları için, artık bana da ait olan acıları için dua ediyorum.

Bebek için dua ediyorum, yaşasa bizden biri olacak bebek için; hayatı için, yaşayamadığı kısacık hayat için dua ediyorum. Bebek için dua ederken yalnızca *özür dilerim, özür dilerim, özür dilerim* diyorum. Burun direğimi sıkıyorum. Aynadaki gözlerim kıpkırmızı.

Grace için de dua ediyorum, soğuk bedeni, soğuk elleri ve soğuk kalbi için, benim başarısızlığa uğradığım yerde başarılı olduğu için, kulaklarının arkasındaki kir için, örerken ellerimi dolduran saçları için, acımasız dürüstlüğü için, bedeninin hayvansı kokusu için, mesafesi için. Dua ederken bir zamanlar nasıl aynı kişinin parçası olduğumuzu düşündüğüme hayret ediyorum, oraya dönmek, yeniden onunla birlikte olmak, sıkı sıkı el tutuşmak, ışıklar çevremizde kurdeleler gibi dönerken babamız tarafından suyun altında tutulmak için ne olsa yapardım, biliyorum. Benimkine yakın yüzü ve büzdüğü ağzıyla yanımda suyun altında beklediği sırada ölüp gitsem sorun olmazdı, hatta küçük bir merhamet gösterisi olurdu bu; fakat babamız her seferinde bizi yüzeye çeker, güneş ışığına çıkarırdı; bizse öksürerek ağzımızdaki suyu boşaltırdık.

İnsanı bayıltacak kadar sıcak, uzun öğlen sonrası saatlerinde Grace'in kapısı tıklatılıyor, sonra anahtar kilitte dönüyor. Birbirimize bakıyoruz.

"Merhaba," diyor Llew, kapıyı açtığım zaman. Yüzü solgun ama sakin görünüyor, üzerinde Kral'ın temiz tişörtlerinden biri var. Arkama, odaya bakıyor.

"Aşağı gelin," diyor. "Yemek hazırladık." Tuzak olabilir ama açlıktan midelerimiz gurulduyor. Peşinden gidiyoruz.

"Gwil'i ormana gömdük," diyor James, un ve sudan

ibaret kreplerimizi yerken. Sıcak suya atılmış azıcık kahveyi kuru ağızlarımıza dolduruyoruz. "Bekletmeden gömmek istedik onu." Sesi çatlıyor. "Yalnız gömmek istedik."

Kızkardeşlerim ve ben susuyoruz. Erkekler bizi neden odaya kilitlediklerini açıklamıyorlar; Gwil'in ölümünün bizim suçumuz olduğunu da söylemiyorlar artık.

Yemekten sonra masadan kalkıp içeri geçmek istiyoruz ama tam kapıdan çıkacakken Llew beni kolumdan yakalıyor.

"Kal biraz," diyor. "Yürüyüşe çıkalım."

Bir soru değil bu. Kızkardeşlerime bakıyorum, başlarını sallayıp onaylıyorlar.

Sahil boyunca, dalgaların kıyıyla buluştuğu yerde yürüyoruz. Llew yere tekmeler savuruyor. Yüzü asık. Suda köpekbalıklarının sırt yüzgeçlerini arıyorum, başka hayaletler göreceğimi sanıyorum ama deniz durgun.

"Nasılsın?" diye soruyorum. Gülüyor.

"Sence nasılım?" diye soruyor. "İyi değilim, Lia. İyi değilim."

"Özür dilerim," diyorum.

"Senin suçun değil," diye karşılık veriyor. "İnsanlarla nasıl konuşulacağını bilmiyorsun. Böyle durumlarda ne denir bilmiyorsun. 'Başınız sağ olsun,' diyebilirsin örneğin." Sesinde ters bir şeyler var.

"Başınız sağ olsun," diye tekrarlıyorum.

Llew iskeleye doğru dönüyor, sandala doğru yürümeye başlıyor. Kuşkuyla bakıyorum peşinden.

"Haydi sandalla açılalım," diyor. "Çok güzel bir gün."

"Güvenli değil," diyorum.

"Güvenli," diyor ve bir şekilde sandala biniyorum, dibine biriken su ayakkabılarımı ıslatıyor, benden ne isterse yapacağımı hatırlıyorum yeniden.

Kürek çekmeyi Llew'e bırakıyorum. Sandal hemen

su almaya başlamıyor ama birazdan su dolmaya başlaya-
cak, biliyorum. Hava basık. Uzaktan bir yerden veya ku-
lakzarımdan keskin bir çatırtı geliyor, deniz çarşaf gibi.
Sandalın kenarına tutunup parmaklarımı hissetmeyene
kadar sıkıyorum.

"Neden bu kadar korkuyorsun?" diye soruyor Llew.
"Sen bu haldeyken gevşeyemiyorum bir türlü."

"Korktuğum falan yok," diyorum ona.

"Korkunu hissediyorum. Çok gerginsin. Ne oldu?"
diye soruyor. Kürekleri suya çarpıyor, sesini yükseltiyor.
"Ne oldu söylesene?"

Kemerindeki bıçağı ancak o zaman görüyorum. San-
dalın dibindeki ip yığını ıslak ayağının çevresinde dolanı-
yor. Nefes alamıyorum, bana dokunmasına gerek kalma-
dan anlıyorum ölmekte olduğumu.

Llew gözlerini dikip bana bakıyor. "Panik atak geçi-
riyorsun," diyor, sesinde hayreti andıran bir şeyler var.

"Ölüyorum," diyorum ona.

"Hayır," diyor. "Bir şeyin yok." Uzanıp elimi tutuyor,
parmaklarını avucuma bastırdığı zaman irkiliyorum ama
niyeti başka; nefesim normale dönene kadar nabzımı sa-
yıyor yüksek sesle.

"Burada duralım," diyor kürekleri indirerek.

*Evimden bir daha asla bu kadar uzaklaşmayacağım,
asla sınırı geçen biri olmayacağım. Bir daha kızkardeşlerim-
den asla ayrılmayacağım.* Pazarlık, uzlaşma veya ikisi bir-
den. Ayaklarımın altında küf kokulu soğuk su, çürük ko-
kusu. Sonunda kendim için dua ediyorum. Güneşin altın-
da geçen günler için. Denizşakayıkları, kusursuz yuvarlak
taşlar, ellerime çarpan soğuk su, tertemiz olma hissi ve
hareket, patlama etkisi yapan hareket için, ağaçlardan kal-
kan kuşlar, tenime değen sıcak ahşap için dua ediyorum.

Başımı kaldırıp baktığım zaman, Llew beni inceli-
yor. Gözlerinin nazik baktığını nasıl düşünebilmişim,

inanılmaz şey. Bedenim başından beri bana oyun oynuyordu.

"Geri dönmemiz lazım," diyorum.

"Yoruldum. Hemen dönmek istemiyorum," diyor. Hâlâ bana bakıyor. "Eve çok mu yakınız?" diye soruyor. "Bizi görebilirler mi?"

Eve çok yakınız ama başımı iki yana sallıyorum. Bana uzanıyor. Gömleğinin düğmelerini açıyorum.

Yarısında duruyor, ipi alıyor, zamanın geldiğini anlıyorum. Terbiye edilmiş ciğerlerim bile ellerim bağlıyken suyun altında iki dakikadan fazla dayanmaz ama üzerime bir sakinlik çöküyor. Bileklerime doladığı halatı düğümlediği anda düşündüklerim: *Dünyada başıma gelebileceklerin en kötüsü değil bu.* Hayata karşı hayat. Hayatımı kızkardeşlerim için vermeye başından beri hazırdım zaten.

"Güven bana," diyor, "hoşuna gidecek."

Yaşlı adamın ne isterse yapmasına izin veriyorum. Güneşe karşı gözlerimi sıkı sıkı yumuyorum, kırmızı ışık gözkapaklarımın içini dolduruyor, bekliyorum. Bir yerlere sevincin yankısı dönüyor, göğüskafesimde kalbim küt küt atıyor; beni hâlâ gerçekten seviyor olmalı çünkü.

Annemizin ortadan kayboluşundan sonraki ilk günlerden birinde şezlongda yatışımı anımsıyorum birden. Yorgunum; kızkardeşlerimi arıyorum ama güneşin altında mayışıyorum. Sivri bir gölge parçasının altında kısa bir süre uyukluyorum. Şezlongun ucuna oturup ayak bileğimi tutan Llew uyandırıyor beni. Nazikçe dokunuyor bileğime. Düşünmeden, tatlı tatlı okşuyor, sonra kalkıp gidiyor. O ayağımı kımıldatmak bile istemiyorum, bir süre sonra uyuşuyor. Patolojik bir tepki daha.

İpi gevşettikten sonra hemen giyiniyor, doğrulup oturuyor, başını ellerinin arasına alıyor. Birkaç dakika sessizlik oluyor. Dikkatle zihnimde evirip çevirdiğim iki sözcüğü söylesem mi söylemesem mi, söylemem bir şeyi değiştirir mi, onu düşünüyorum.

"Bu sonuncuydu," diyor. "Kesinlikle öyleydi."

"Neden?" diye soruyorum.

"Lia," diyor. Başını ellerine iyice gömüyor, sonra birden doğruluyor. Gözlerimin içine bakıyor. "Böyle devam edemeyiz. Sana daha önce de söyledim."

O iki sözcüğü ne olursa olsun söylemeye karar veriyorum, belki fikrini değiştirirler diye. Alçak sesle söylüyorum onları.

Dönüp önce eve, sonra bana bakıyor. "Bu tür şeylere tamamen kapalı olduğunu düşünmüştüm," diyor çaresizce. "Diğerleri gibi olmadığını sanmıştım." Sesinde başka bir şey daha var. Tiksinti olduğunu anlamam birkaç saniye sürüyor.

"Tanrım," diyor, küreği sandalın dibine atarken. "Yas tutuyorum, Lia. Kendimi kaybetmemek için büyük çaba harcıyorum. En azından buna izin verebiir misin? Benden bir şey talep etmeden durabilir misin?" Sesi öyle yüksek ki. "Ne bekliyordun?"

Dönüştürülmeyi, hepsi bu. Bize yaşattıklarımı yaşamaya değdiğini bedenimde bir yerde hissetmeyi, bilmeyi.

"Üzgünüm," diyorum. "Ama seni seviyorum."

Bu sözcükler ağzımdan çıkınca irkiliyor, onları biraz da bu yüzden söylediğimi anlıyorum ben de.

"Bunu yapamam şu anda. Bugün olmaz," diyor. "Asla olmaz, doğrusunu istersen. Üzgünüm. Özür dilerim. Anlamanı beklemiyorum."

Ama anlıyorum. "Zalimsin," diyorum ona. "Çok zalimsin."

"Bunu inkâr edemem," diyor. "İzin veremez misin? Olanlardan sonra? Nasıl bir şey olduğunu bilmiyorsun."

Gözlerim yaşarıyor. Yüzüne, dişlerini sergileyen gerilmiş dudaklarına, ekşittiği yüzüne bakıyorum, var gücümle ondan nefret etmeye çalışıyorum.

"Ağlama," diyor. "Ağlaması gereken benim." Sonra ağlamaya başlıyor gerçekten, ellerinin tersiyle gözlerini siliyor.

"Özür dilerim Lia," diyor. "İyi bir adam değilim ben. En iyi zamanlarımda bile."

"Peki neden yaptın en başta?" diye soruyorum.

"Herkes neden yapıyorsa ondan," diyor bana. Dört bir yanımızdaki okyanus sularından tuz yükseliyor, onu yeterince dinlediğimi fark ediyorum.

"Geri dönmeliyiz," diyorum, gözlerimi elbisemin koluyla silerken. Islak yüzünü başka tarafa çeviriyor. Başka bir şey söylemiyoruz ikimiz de. Sırtı bana dönük duruyor, bu bir fırsat ama fırsatı değerlendirmiyorum. Göğsümdeki şiddetli sancıya rağmen canını yakamam.

İskelede tek kelime etmeden ayrılıyoruz. Sahil boyunca ilerleyip eve giren uzun siluetine son bir kez bakma izni veriyorum kendime.

Sahil boyunca yürüyorum, öyle çok ağlıyorum ki ufuk çizgisi çift görünüyor, gökyüzüne taşıyor. Acıdan yere atmak istiyorum kendimi, ama atmıyorum. Taşlık gölete ulaşıyorum, dikkatimi dağıtmak için her bir kayayı tek tek inceliyorum. Denizşakayıkları ve istiridyeler her tarafta. Çekilen gelgit sularının açığa çıkardığı pürüzsüz bazalt şeridinin üstünde cesaret edebildiğim kadar yürüyorum.

Dönüşte, kumdan çıkan bir şey görüyorum, taşlaşmış bir ahşap parçası veya eski dünya çöpü. Renkler görüyorum. Yaklaşıp kumu ayağımla biraz kenara itiyorum, sonra diz çöküp ellerimle kazıyorum. Kırık tahtalar ve fiberglas geliyor elime, kırmızı ve maviye boyanmışlar, bir de motorun demir pervanesi. Tamamen kuma gömülmüşler, demek ki uzun zamandır buradaymışlar veya birisi onları gömmüş olmalı, diye düşünüyorum parçaları elimle kaldırıp bakarken.

Üstlerine yeniden kum örtüyor, ayağa kalkıyorum. *Şu anda bunu düşünmek zorunda değilsin,* diyorum kendime. İhtiyaç duyduğum şu anda kendime şefkatli davranabilmem ne güzel, değil mi, diye düşünüyorum. Arkama bakmadan uzaklaşıyorum oradan. Daha sonra düşüneceğim bunu. Şimdi değil.

Balo salonuna gidip piyanonun başına oturuyorum, bir süre peş peşe notalara basıyorum.

*Bencilliği bırak artık,* diyorum içimden kendime, öfkeyle. Sonra piyanonun tuşlarına damlayan suyu fark ediyorum. O kadar çok kalp söktüm ki onların basit birer et topu olduğunu, balıkların bile kalbi olduğunu biliyorum.

Ve sonra, *Onun kara kalbini durdurursan ruhumu satarım sana,* diye pazarlık ediyorum denizle, gönülsüzce. *Onu boğarsan sonsuza dek senin olurum.*

Ama ölürse yeniden düşünmeye, gerçekte beni sevdiğini söylemeye fırsatı olmaz. Bunu düşününce önerimi telaşla geri çekiyorum. *Pardon.*

Artık aşkla işim bitti. Ama gidecek başka yerim yok.

Ayak sesleri duyunca Llew'ün beni bulmaya geldiğini, hata yaptığını söylemek istediğini umuyorum. Ayağa kalkıp kapıya doğru dönüyorum ama karşımdaki Grace.

"Lia," diyor ellerini havaya kaldırarak. Elleri kirli. Gözlerimi kırpıştırıp yeniden bakıyorum, pencerelerden içeri dolan parlak öğle sonrası güneşi gözlerimi kamaştırıyor. Kan bu. Beyaz elbisesinin etekleri, göğsü kan içinde. *Yaralanmış,* diye düşünüyorum, ona doğru bir adım atarak. *Ölüyor.* Adımı yeniden söylüyor, ellerini iki yanına indiriyor, ona doğru bir adım atıyorum, bir adım daha atıyorum.

*Eski bir hikâye, anlatmaktan da bıktım usandım –
dünyanın en eski hikâyesi ama bir türlü kenara bırakamı-
yorum onu, bedenimi sürüklemesine engel olamıyorum, bu
yüzden yeniden anlatmamı istemeyin, ne olur. Hikâye ne
benimle bitiyor ne benimle başlıyor. Hayal edebilirsiniz.
Kendinize anlatabilirsiniz.*

# III

# KIZKARDEŞLER

# Grace

Düşen kadını sık sık düşünüyorum. Düştüğünde sahildeydim, nasıl olduğunu uzaktan da olsa gördüm. Bir an penceredeydi. Elini kaldırıp beni selamladı veya sadece yüzüne dokundu, saçını kenara çekti. Kesin olarak bildiğim tek şey ona el salladığım. Sonra pencereden aşağı bıraktı kendini. Sahilde benimle birlikte iki kadın vardı, çığlık çığlığa yanına koştular, oysa artık çığlık terapisini bırakıyorduk. Bu terapinin durumu iyileştirmek yerine kötüleştirdiğine karar vermiştin sen. Durumlar kötüye gitsin istemiyorduk.

Bu anının sık sık zihnimde canlanmasına neden olan olayın travması değil, düşme eylemiydi. O günlerde bedenim sürekli hareket halindeydi. Bahçede koşturur, havuza atlardım, ellerimi ovuşturur, ayağa kalkıp gerinirdim. Yerimde duramazdım. Ama o eylemin güzelliğinden etkilenmiştim. Düşmek ve durmak.

Sonraki günlerde, Lia ve ben boş odalardan birinde şilteleri gizlice yere koyduk ve saatlerce deneme yaptık. Taburelerin üstüne çıkıyor, bedenlerimizi boşluğa bırakıyorduk. Ama aynı şekilde düşemiyorduk. Düşmeye fazla hevesliydik.

Sana sormak yıllar sonra geldi aklıma: *O neydi yahu?* Yanıldığımı söyledin, pencereden düşen olmamıştı. Çocuklar heyecanı ve bir şeyler uydurmayı severdi. Üst kat pencerelerinin hiçbiri açılmıyordu. Evet, dedin, pencereleri bebekleri, ölmeye kararlı, taş yutan veya kendilerini diri diri gömen küçük ve tehlikeli insanları korumak için kapalı tuttuğumuzu söyledin. Kısacası beni kastediyordun.

Yaklaşık bir yıl boyunca, pencerelerin her zaman kapalı tutulmuş olduğuna inandığımı sandım. Düşen kadın bir hayaldi. Ama bize ulaşan kadınlardan bazıları o günden sonra geri çevrilmeye başlandı. Ve bir gün bütün çabalarına rağmen o anı yeniden canlandı, bu kez canlanmasına izin verdim.

Bebeğime Manolya adını vermeyi planlıyordum, bahçede en sevdiğim ağacın adı. Nadiren çiçek açıyor. Son iki-üç yıldır iyiden iyiye cansızlaştı. Onu keseceğimiz gün uzak değil.

Bebeğimi kundaklayıp kucağımda taşıyacaktım. Acil durumlarda sırtıma bağlayacaktım. Gelgit suları yükselince. Gökyüzü alçalınca.

Annemiz gittiğinden beri tabancayı bıçağımla birlikte yastığımın altında tutuyorum. Her sabah metal gövdesine dokunuyor, onu daha yakından tanıyorum. Ellerimde soğuk ve ağır. Bir keresinde terasa götürdüm onu, diğer herkes aşağıda, havuz kenarındaydı. Dirseklerimi bir şezlonga yerleştirip erkekleri birer birer düşürdüm. Yalnızca Llew'ün gövdesine en az beş-altı hayalî mermi doldurdum. İyi geldi.

Lia ve Llew gidince, James onu takip etmemizi istiyor. Peşinden terasa çıkıyoruz. "Hava," diyor bize. "Temiz hava almamız lazım." Şezlonglardan birine uzanıp ellerini yüzüne koyuyor. Bize hiç aldırmadan erkeklerin çirkin ağlayışıyla ağlıyor. Özünde şefkatli biri olduğumdan yasını tutsun diye onu kendi haline bırakıyorum. Oturduğu şezlongun yanındaki masada hayaleti gördüğümüz gece kullandığımız dürbün duruyor. Denizde bir şey görüyorum, bir sandal. Okyanusu dürbünle tarıyor, kızkardeşimin yüzünü görüyorum. Llew ona dokunuyor. İri ve korkunç kollarını ona doluyor. Yapabileceğim bir şey yok.

Eski dünyayla ilgili hiç anım yok ama sen ısrarla olduğunu söylerdin. Şarapnel gibi tarif ederdin onları – kalbime ve bedenime yerleşmiş, kimsenin göremeyeceği hasarlar. Hatırlamak istediğim de yoktu aslında ama sana göre önemli değildi bu.

Bir gün baş başa kaldığımızda –annemiz alt katta bir yerde, herhalde şekerleme yapıyordu– anlatmıştın bana: kurtarabildiğin her şeyi kurtardığını. Başka bir deyişle, kurtarılmaya değer olduğunu kanıtlayan yalnızca bizlerdik.

Bina yanıyorsa önce en sevdiklerimizi kurtarırız. Bunu biliyordum. Fakat bir baba için durum asla bu kadar kolay değildir, dedin.

James doğrulup oturuyor, dürbünle sulara baktığımı görünce gözlerini kısıp denize bakıyor.

"Bana ver şunu," diye buyuruyor ilk defa, dürbünü almak için elini uzatarak. Vermek istemiyorum ama dediğini yapıyorum. Otuz saniye kadar dürbünle denize baktıktan sonra bana dönüyor.

"Kuşkulandığım gibi," diyor. "Artık olan oldu. İş işten geçti."

Sky da bakmak istiyor ama James başını iki yana sallıyor. Dürbünü yere atıyor. Camları çatlıyor ama kızkardeşimin de benim de kılımız kıpırdamıyor. Yeni ve kişisel şiddeti ilgimi çekiyor. Sonunda, kaçınılmaz biçimde, gerçek yüzünü gösteriyor. Son günlerinde senin yüzün de böyle buruşmuştu, sanki yüzündeki ifadeyi oluşturan kasların yükü çok ağırmış gibi. Sakince izliyorum onu. Sonraki hamlemi değerlendiriyorum.

Elleriyle bileklerimi tutuyor, kolumdaki kirli parmaklarına indiriyor bakışlarını. Tiksinmeme rağmen bunu yapmasına izin veriyorum.

"Sana anlatmak istediklerim var," diyor. "Birine anlatmam gerekiyor. Sana açıldığım için üzgünüm ama başka kimle konuşabilirim ki?"

Erkekler içlerini dökmek istiyor bana nedense. Onlara yabancı değilim. Dünya kadınların suçluluk duygusunu ve üzüntüyü özümsemesini bekliyor. Bana sevgi hakkında öğrettiğin şeylerden biri de bu. "Peki," diyorum ona, sana dediğim gibi.

"İçeri girelim," diyorum. "Odama gidelim. Ama Sky burada kalsın."

Başıyla onaylıyor. Sky itiraz edecek oluyor ama onu bir bakışta susturuyorum. Saklanacak kadar akıllı olduğunu umuyorum.

Son birkaç gündür dünyamıza veda ediyordum. *Elveda ağaçlar. Elveda sararıp solan çimenler. Elveda deniz ve kum. Elveda kayalar. Elveda kuşlar. Elveda fareler, kertenkeleler, böcekler.* Zamanımızın tükendiğini bir şekilde anlıyorum. Tepemizdeki gökyüzü yanıyor. Sınırlar yıkılacak.

James canı çok yanıyormuş gibi ayak sürüyerek yürüyor, bir eliyle göğsünü sıkı sıkı tutuyor.

Odamda her şeyi itiraf ediyor. Tozlar ışıkta dans ediyor, açık pencereden içeri deniz kokusu geliyor. Önemsiz şeyleri anlatıyor önce. Zaten bildiğim veya tahmin ettiğim şeyleri. "Lia'yı öptüm," diyor bir süre sonra. Yutkunuyor. "Veya o beni öptü ama onu hemen durdurmadım. Karşılık vermek istedim."

Yorum yapmıyorum. Sesi çatlayınca ona bir bardak

su getiriyorum, hepsini içince banyoya gidip bir bardak su daha getiriyorum, su bardağa dolarken banyo aynasında gözlerimin içine bakıyorum. *Onu konuşturmaya devam et*, diyorum kendime. *Uzak durun*, diyorum kızkardeşlerime, evin neresindeyseler.

"Dünya size anlatıldığı gibi değil," diyor ikinci bardağı bitirince. Su içine bir şeyi tetiklemiş, kararlılığını artırmış gibi pervasızlaşıyor. Uzak bir yerdeymiş gibi konuşuyor. "Yani evet, dünya korkunç bir yer ama size doğru olmayan pek çok şey söylenmiş yine de."

Kadınları, onların kuruyan ciğerlerini, büzüşen derilerini soruyorum. Kanıtları kendi gözlerimle gördüm, saçlarını yerden taradım, kanlı mendillerini yaktım. Omuz silkiyor.

"Onların acısını küçümsemek haddim değil," diyor. "Ama azınlıktalar. Her yanda gizemler var. Hastalıklar her yerde."

"Erkeklerin kadınları öldürdüğünü inkâr mı ediyorsun?" diye soruyorum.

"Hayır, etmiyorum. Ama sandığın gibi değil."

O *zaman anlat bana*, diye düşünüyorum, sabırsızlıkla.

Dışarı çıkabilirmişiz, öyle diyor; kadınların bazen taktığı gaz maskeleri bir numaraymış. Kandırmacaymış hepsi, abartıymış. Yiyecekler ne boğazımıza yapışır ne bağırsaklarımızı delermiş. Endişelendiğimiz buysa, dünyadan zehirlenmezmişiz. Genel önlemleri alıp diğer kadınlar gibi yaşayabilirmişiz. Evet, şiddet görme riskimiz daha fazlaymış. Bir erkek olmasına rağmen o bile görmezden gelemezmiş bunu! Bize bu konuda yalan söylemezmiş! Ama şu da varmış: Orada da havuz kenarında şezlonglarda yatabilirmişiz. Başkalarıyla tanışabilirmişiz. Başka kadınlarla. Erkeklerle de. Belki âşık olurmuşuz, eğer istersek tabii? Soru sorar gibi söylüyor bunu, umutlanıyor sanki. Sanki önemli olan, işi cazip hale getiren buymuş gibi.

Sevgi son yıllarda kıymetli bir öğretmendi benim için, özellikle seninle birlikte geçen son aylarda. Her şeyden önce kadınların da düşman olabileceğini öğretti bana. Geçmişte, bugün ve gelecekte. Geç saatlerde dehşet içinde uyanıp volta atıyordum. Kahvaltıdan sonra abartılı hareketlerle annemizi yanağından öptüğün zaman başımı çevirmek zorunda kalıyordum. Kızkardeşlerim güvenli bölgeydi ama onlar bile değişmiş görünüyordu gözüme. Hayatımda ilk kez istediğimi alan kadınlar olacağını gördüm, kendimi daha fazla korumaya başladım. Yalnızken değişiyor, meditasyon yapıyor, bana verdiğin hediyeleri diğerleri durumu anlamasın diye yatağımın altına yığıyordum.

Kaybın insanın çevresinde oluşan bir şey olduğunu da öğretti bana. İnsana güvenlik gibi gelen şeyin çoğu zaman yalnızca o sırada zarar görmemekten ibaret olduğunu, bu ikisinin aynı şey olmadığını da ondan öğrendim.

James hâlâ önümüzdeki hayatı anlatıyor. Dağ, göl ve sahil manzaraları keşfedebilirmişiz. Bu kısıtlı sahilin ötesindeki toprakları. Işıltılı kumaştan giysiler giyebilirmişiz. Sıcak akşam rüzgârında kalabalıkların arasında dolaşabilir, yemek ve tütün kokusu alabilirmişiz. James ilk kez kendinden emin konuşuyor. Dünya ona nazik davranmamış, bunu görebiliyorum ama yine de seviyor onu. Erkek dünyası. Hayatta kalacağı kesin, bunu kanıksamış.

Giderek daha da heyecanlanıyor konuşurken. "Bak, bulunduğun yer, dünyanın kendine göre bir köşesi. Oysa dünya öyle büyük ki. O kadar uzak da değil bu yerler. Ormandan geçmeniz uzun zaman alır. Ama denizden giderseniz körfezden hemen çıkarsınız."

Evimizin bir ada olduğunu sanmıştım hep. Şifalı bir yer, el değmemiş, atlanmış ve unutulmuş. Bir coğrafya mucizesi. Meğer başka yerler gibi anakaradaymış. Kaba saba, zehirli bir kıtanın parçasıymış. Bize bu konuda yalan söyledin. Başka ne yalanlar söyledin peki?

Şokun etkisini bedenimde hissediyorum; parmaklarımda, kollarımda dolaşıyor. Ama James fark etmiyor bile. Susuyor, ayağa kalkıp pencereye gidiyor. Dünyayı hatırlayınca yatışıyor, kendine geliyor. Alnını cama yaslıyor.

"Temasa geçtik," diyor açık denize bakarken. "Bir yolunu bulduk. Geliyorlar."

"Peki ya biz?" diye soruyorum. Nereye saklanabileceğimizi düşünüyordum bir süredir. Erkekler gitmeye hazırlanırken nerede bekleyeceğimizi. Ne isterlerse alabilirler. Gümüş yemek takımları. Kral'ın notları. Gwil'in bedenini topraktan çıkarsınlar istiyorlarsa. Evi yağmalasalar bile umrumda değil.

"Grace," diyor bana bakarak. "Sen ve kızkardeşlerin. Sizi de götürüyoruz." Yere oturuyor. "Kral hayatta. Bizi o gönderdi." Başını kaldırıp bana bakıyor: "Başından beri hepsi senin içindi."

*Ama ben bunların hiçbirini istemedim ki*, diyordum bazen aynada kendime, bütün kadınlar gittikten sonra, bir de sen kaybolduktan sonra, *ben bunu asla istemedim.* Nefesimi tutup ormanda yürürken birden sınırı karşımda bulmamı, hiç duraksamadan sınırın diğer tarafına geçişimi düşünürdüm. Kızkardeşlerim bunu bilmiyordu.

Beni kısa sürede bulmuştun. Fazla uzaklaşmamıştım. Ne yaptığımı, nereye gittiğimi bilmiyordum, hazırlıksızdım, ilk defa kaçıyordum. O zamana dek aklıma gelmemişti bu fikir. Kasvetli sonbahar yağmuru ayak izlerimi hemen siliyordu. Saçlarım yüzüme, boynuma yapışmıştı, geceliğim içinde kollarım çıplaktı. Beni oracıkta öldüreceğini sandım. Başarısızlığın ispatıydım. İçimde bir şeyler değişiyor, takip edemeyeceğin yerlere gidiyordu. Ama yine de beni kollarına alıp geri taşıdın, yüzüne vurdum, gözlerini oymaya çalıştım. O zaman beni yere bıraktın, ellerimi bağladın.

O eski düsturunun asıl anlamını o zaman öğrendim: *Aile sevgisi her şeyi haklı kılar.*

Bir an nefes alamıyorum. İçgüdülerim beni yarı yolda bıraktı. Öldüğünü hissettiğimden öyle emindim ki, bedeninle bedenim arasında artık âşık olan bedenlere özgü o bağı hissetmiyordum. Eskiden başka odalardayken bile nerede olduğunu hissederdim. Açık denizden ne zaman döneceğini bilirdim. Ama yanılmışım.

James diyor ki, korkacağımızı ona söylemişsin. Kendimize zarar verme olasılığımız konusunda uyarmışsın onu. Yetiştirilme tarzımız yüzünden, boynumuza dayanmış o küçük bıçaklarla. Zarar görmeden sana getirilmemizi emretmişsin. Erkeklerin nazik, çok nazik olması gerekiyormuş. Güvenimizi kazanmaları, zayıflıklarını göstermeleri gerekiyormuş.

"Bebeği buradan uzakta doğurmanı istedi," diyor. "Yeni bir başlangıç yapmak için."

"Ama ben istemiyorum," diyorum. Yeni başlangıçları kastediyorum.

"Yoldalar. Birkaç saate gelirler. Çok kötü olmayacak, söz veriyorum. Sizinle ilgileneceğim." Elini uzatıyor ve bekliyor ama ona dokunmuyorum.

Kaçtığım yıl yaz ortasında Lia ve ben eski serada mayolarımızın üstünü çıkarıp güneşlenmekten hoşlandığımızı keşfettik. Oksijen doluydu seranın içi. Her yanda kırılmış saksılar. Yatak odalarımızdaki şilteleri sürükleyerek seraya taşıdık, içeri hava dolsun diye çatıdaki cam panelleri açtık. Oraya kapandık ama bu sefer kapanmak kendi kararımızdı. Terk edilmiş bitkilerin parlak yaprakları bedenlerimizi saklıyordu. Bedenlerimizin günahkâr olduğunu henüz bilmiyorduk.

Sevgi insandan mutlaka fedakârlık ister, bunu artık biliyorum. Her zaman suç ortaklığı talep eder. Annemizin uzun zaman önce bir akşam yemek masasında söylediklerini düşünüyorum: "Ütopyamız başarısız olsa bile, en azından denedik diyeceğiz."

Ne demek istediğini anlamamıştım. Kızkardeşlerim de anlamamıştı. Annemiz sarhoştu, kâkülü yamuktu. Akşamüstü kendi kendine kesmişti bu kalın kâkülü, biz makastan uzak durmuştuk. Ona çirkin göründüğünü söylemiştin, saatlerce ağlamıştı. Gözleri hâlâ kırmızıydı.

Ne demek istediğini biliyordun tabii. O sözcükleri söylediği zaman kıpırtısız kaldın, odadaki bütün havayı tehlikeli sessizliğinle emdin. Bizler de donup kaldık, olacakları beklemeye başladık.

"Yatağınıza gidin," dedin bize. Kapılarımızı kapayıp kulaklarımızı duvara yapıştırarak dinledik sizi. Alçak sesle konuşuyordun. Annemizin sesi yükseliyor, sonra alçalıyordu.

Sonunda yataklarımıza girdik ama uyumadan önce annemizin ağladığını duydum. Sesini bir an yükseltti, şöyle dediğini duydum: "Böyle daha ne kadar devam edebiliriz? Ne kadar?"

En büyük çocuk kardeşlerin en serti olmalıdır yoksa sırtına yüklenen hatalardan kaçamaz. En büyük çocuğun bedeni doğal olarak bir silahtır. Bana yıllar sonra söylemişti bunu. "Yani hata yaptın?" demiştim. Donuk bakışlarıyla beni süzmüştü. Neyi kastettiğimi biliyordu. "Ben kendimden başka kimsenin silahı değilim," dedim ona.

"Annemiz," diyorum tutunacak bir dal arayarak. "Annemiz de onlarla mı? Bizim için gelen insanlarla?"

Bir şey söylemeden bana bakıyor, gözleri her zamankinden daha yaşlı.

"Onu öldürdünüz," diyorum. "Onu öldürdünüz." Başını öne eğiyor.

"Sandığın gibi değil," diyor.

Llew yapmıştır, elbette.

"Kral yalnızca seni ve kızkardeşlerini istiyor," diyor James. "Hâlâ çok gençsin, Grace." Duraksıyor. "Otuz yaşında her şeye yeniden başlamak için geç kalmış sayılmazsın, asla öyle düşünme. Seni endişelendiren buysa tabii."

Senin mülkünüz, eşyanız. Annemiz yıpranmıştı, bir engeldi; onun yerine ben geçmiştim. Yaşım onun yarısı kadardı, bedenim ve zihnim hayatta kalmak üzere eğitilmişti. Çok basitti. Burada olsan mantıklı bir şekilde açıklardın her şeyi. En makul çözüm olduğuna inanırdık.

"Önünde yaşanacak uzun yıllar var hâlâ," diyor James. Tahammül etmesi zor bir acımayla bakıyor yüzüme.

*Geride kalan uzun yıllar da var,* demek istiyorum ona. Bir su kitlesi gibi birikiyorlar. Ağır bir dalga gibi. O yılları unutamam, beni boğmalarına izin veremem. Bunu yapmam.

Bir sabah serayı paramparça buluyoruz, metal çerçevelerin arasında kırık cam yığınlarından başka bir şey kalmamış geriye. Ne yaptığımızı anladın ve balyozunla yıktın serayı. Kalplerimizi parçalamış kadar oldun.

James başka ayrıntıları anlatıyor. Annemizin suçuymuş olanlar. Başta Llew'ü aşağılamış, giysilerini çıkarttırıp üstünü aramış, su vermemiş. Başkası olsa o da gücenirmiş. Llew'ü suçlamak doğru olmazmış. Her şey kazara olmuş denebilirmiş. Kendini savunmak zorunda kal-

258

mış Llew. Gücünü ayarlayamamış, parmakların baskısını, yumruğunun etkisini hafife almış.

"Anlayabilirsin, değil mi?" diye soruyor bana. "Onun gibi biri böyle şeyler yapabiliyor, anlayabiliyorsun değil mi?"

Doğaları gereği ağır hasarlar veren erkekler vardı. Doğuştan gelen bir şeydi bu. Bizi uyarmıştın. Asla kabul etmezsin, ama sen de onlardan birisin.

James ile Llew gözlerini kapadılar, bedenine olta kurşunları taktılar ve onu denizin ortasında bir başına bıraktılar.

Eskiden hasarlı kadınlarla konuşma fırsatını asla kaçırmazdım. Gençtim. Bana ayrıntıları anlatmakta gönülsüz davranır, onun yerine avucuma gizlice işe yaramaz armağanlar sıkıştırırlardı. Kokulu sabunlar, ipe geçirilmiş deniz kabukları. Bu adaklardan, şiş parmaklarımızla diktiğimiz muskalar kadar nefret ederdim. Her şey belli niyetlerle, belli amaçlarla yüklüydü ama hiçbiri işe yaramıyordu.

Kadınlardan bilgi almak istiyordum ben. Silahlanmanın önemli olduğunu o zaman bile biliyordum. Düşmanını tanımanın. Sen ve annemiz bazen bize dünya hakkında bir şeyler anlatıyordunuz ama kontrollü bir şekilde, ince eleyip sık dokuyarak seçiyordunuz anlatacaklarınızı. Bana yetmiyordu anlattıklarınız.

Bilgi edindikçe, fiziksel olarak uzak kalmanın bile bizi kurtarmayacağını anladım. Sınır olsun ya da olmasın, şiddet bütün kadınlara ulaşıyordu. Şimdiden kanımızda, ortak belleğimizdeydi. Bir gün erkekler bizim için de gelecekti.

Öfkenin nedeni buydu. Hasarlı kadınlarda daha

güçlüydü ama bizim içimizde de vardı. Olasılıklar. Uykumda hâlâ çığlıklar atıyorum bazen. Ona bunu hiç söylemedim ama, Lia da öyle. Bize eziyet edilmedi diyemem.

Her yeni keşfimden sonra sana farklı gözle bakıyorum; dünyadan vazgeçen, kadınlara duyduğun sevginin her şeyden üstün olduğunu söyleyen sana. O zamanlar bile sevgi adına eziyet ediyordun bana. Bende nasıl bir etkisi olacağını bilmiyordum.

Öğrenmem uzun sürmedi. Karnım ağrıyordu, ağzımda metal tadı vardı. O zamana dek çocuk gibi yüzüstü uyumuştum hep, ama göğsümdeki ağrı dayanılmaz bir hal almıştı. Bir süre öleceğimi sandım.

İlk ve son kez, erkekler hakkında her şeyi öğrenmek istiyorum. James'in sarhoş, kırmızı yüzüne bakıyorum ve geçmişini, kalbini kıran her şeyi bilmek istiyorum. Onu, onları buraya getiren farklı kararları da. İki kardeşin Gwil'in yaşlarındayken toprakta güreştiğini hayal ediyorum. Onları kendilerine dönüştüren şeyi bulmak istiyorum. Nasıl onlar gibi kalpsiz olabileceğimi de öğrenmek istiyorum.

"Kral'ı nereden tanıdığını anlat bana," diyorum sonunda. Bu adamları bize göndermene neden olan bulmaca.

İlginç bir hikâye değildi. Seni on yıllar öncesinden tanıyorlardı. Zamanında dehşet saçıyordun. Belli türde bir adamsan beş yüz hayatın olabiliyordu. Hepsini ölü deri gibi sıyırıp atabiliyordun.

Onları buraya getirenin Llew olduğunu söyleyeceğini sanıyorum ama değil. Sana bir iyilik borçlu olan James'miş. Llew onunla birlikte gelmiş yalnızca. O konuda lütfetmişsin. Abisinin öldürüldüğünü görmek istemiyormuş. Onunki de bir sevgi eylemiymiş. Bildiğimiz bir şey varsa, o da sevgi eylemleri. Daha iyi hissetmemi sağlamıyor bu.

"Kral buradaki hayatınızın başarısızlıkla sonuçlandığını düşünüyor," diyor James. "Yeni bir başlangıcın herkes için en iyisi olacağını düşünüyor."

Ne demek istediğini anlamıyorum. Hayatlarımız bizim hayatlarımız işte.

James yeniden ağlamaya başlıyor, çaresiz görünüyor, itiraflarının işe yaramadığını anlamışa benziyor. Daha iyi hissetmesini sağlayacak bir şey yok.

"Sana çok fazla şey anlattım," diyor. Uzanıp sıkı sıkı tutuyor beni. Bir an için gözlerimi yumuyorum.

"Gitmiyoruz," diyorum ona. "Kral'ın nasıl bir adam olduğunu bilmiyorsun."

"Biliyorum," diyor. "Ah, inan bana biliyorum. Ve çok üzgünüm." Hıçkırıklara boğuluyor, bir an konuşamıyor. "Sana ve sevdiklerine yaptıklarım için gerçekten çok üzgünüm."

Ona yaklaşıyor, kolumu omzuna atıyorum. Boğuluyormuş gibi sıkı sıkı kucaklıyor beni. Bir elimle sırtına hafifçe dokunuyor, diğer elimle yastığın altını yokluyorum. Elim silaha değiyor ama bıçağı alıyorum. Öyle keskin ki bir kere kazara parmağımı kestiğimi fark etmedim bile. Hem böylesi daha sessiz olur, daha doğru geliyor. Bana öğrettiğin gibi hayata kalıyorum.

Başı hâlâ omzumda, elbisem gözyaşlarıyla ıslanıyor. İçimde yeni bir acımasızlık var, veya hep oradaydı, acil durumu bekliyordu – belki onu ilk gören sen olmuştun, başından beri haklıydın. Elimi kaldırıyorum.

İnsanı hazırlayan şeyler ne tuhaf. Bıçağı boğazına

yaslayıp bastırırken, kulağının altını hedef alırken, bıçağı çenesine kadar indirirken tavukları ayaklarından tutup havaya kaldırışını, bıçakla bir hamlede boğazlarını kesişini düşünebilirdim. Tavuklar çırpındıkça gülerdin, deniz suyu kanı temizlesin, armağan olarak götürsün diye sahilde boğazlardın onları.

Tavşanların derisini yüzüşünü de düşünebilirdim. Boğazdan kuyruğa kadar inen tek bir temiz kesik. Bir meyvenin içini andıran ıslak bedenleri. Onları yemekten vazgeçmiştik çünkü yüksek toksin barındırıyorlardı. Tavşanlar sınırın diğer tarafına geçip geri dönebiliyordu.

Bunların yerine beni kurtarmaya çalıştığın karanlık odaları düşünüyorum. Beni travmalarımdan kurtarmaya çalıştığın odalar. Anılarım için, bilmemem gereken şeyler için başımı yoklayan kocaman ellerin. Kurgusal, öğretilmiş, gerçek anılar için. Metalden yapılma, duman çıkaran, tekerlekli bir tepsinin üstünde taşınan makine. Önünde upuzun binalar yükselen gökyüzü. Terasta düşen, sarı saçları yüzünü kaplayan solgun kadın.

Her yıl çektiğin aile portremiz için annemizle birlikte poz veren kızkardeşlerimi düşünüyorum. Fotoğraf makinesini üçayak üstüne yerleştirişin. Kararttığın küçük banyoda, kimyasallarla dolu leğende fotoğrafı tab edişin. Bazen orada, zifirî karanlıkta beni de sıkı sıkı, fazla sıkı kucaklayışın. Çalışırken kimse rahatsız edemezdi seni. Hoşuma gidiyordu sıkı sıkı sarılmak, gerçi bir şeylerden hoşlanmaya alışkın biri değildim. Merasimle lobiye yerleştirilen fotoğraf. Erkeğin görevi belgeyi hazırlamaktır. Hayatımızı sergileme gerekliliği.

Aynı kişi olduğumuz, bir ağacın ortadan ayrılan çatal gövdesi olduğumuz dönemde havuzda Lia'yla boğulmamızı düşünüyorum. Başladığında her gece korkudan hastalanıyordum. Suyun altında tutulan başlarımız, karşımda Lia'nın yüzü. Çırpınmamı engellemek için uzanıp ellerimi tutan Lia. O hep daha iyi baş ederdi. O zamanlar daha kolaydı her şey. Birbirimize aittik. Hangi sevginin nereye gideceği sorgulanmıyordu.

Son bir düşünce; üçümüz benim odamdayız, su dolu karınlarımız şişmiş. Ortak can sıkıntımız bedenlerimizin üstünde dolaşan bir mırıltı. Lia kendine gerçekten zarar vermeye yeni başladı. Bunun için ona minnettar olmamız gerekiyordu.

Pis bir iş. Çok korkunç. Dehşetle geri çekiliyor. Annemizin anlattığı gibi olmuyor hiçbir şey. Diğer ölümlerin hepsi sahne arkasında gerçekleşti. Ama işte şimdi burada onun abesliğiyle yüzleşiyorum.

Tabancayı ve bıçağı cebime koyuyorum. Perdeleri çekiyorum, kumaşa kan bulaştırıyorum. Artık umursamıyorum. Kanı her yere bulaştırıyorum. İki büklüm bedene sırtımı dönüp yere oturuyorum, uzun süre öyle kalıyorum.

Sana âşık olmak nasıldı; iğrençti, korkunçtu, teknik açıdan sorun olmadığını açıklamandan sonra bile öyleydi. Aile sevgisinin yoğunlaşmış haliydi. Gerçi ben senin kanından değildim. Beni kendi ailenden biri gibi büyütmüştün. Gerçi bizimkinden başka aile görmemiştim, kıyaslama yapamıyordum.

Sürekli akşamdan kalma olmak gibiydi. Saf, göz kamaştıran bir mide bulantısı. Hamile kaldıktan sonra hissedeceklerimden çok farklı değil.

Bana gerçekte kim olduğunu açıkladığın zaman, "Kızkardeşlerim için neyim?" diye sordum sana, sen de hâlâ onların kızkardeşi olduğumu ama üvey kardeş olduğumu, kanımın yarısının yabancı olduğunu söyledin. Yaşım büyüdükçe, üçümüz uzaklaştıkça aramızdaki farklar belirginleşecekti. Kanımın yarısının farklı olduğunu öğrenince ağladım. Hamile kalınca yine aklıma gelen bir soru sordum: *İçimde ne var?*

Sana âşık olmak nasıldı: Ölümünden sonraki günlerde yas tutarken –gerçekten yas tutuyordum, yemin ederim, çünkü canavar değilim ben– tekrarladığım gizli dua şuydu:

Lütfen gelme
Kal denizin dibinde
Üzgünüm ama
Bana görünme

Sana "baba" dememi istemediğini söyledin çünkü babam değildin, koşullar değişmişti ama ölümünden önce bunu başaramadım. Alışkanlıkla yine baba diyordum sana. Öyle uzun zamandır üç kızından biriydim ki.

Annemiz ve sen bedenlerimiz hakkında çok şey gizlediniz bizden. Bedenlerimizin âciz ve zayıf olduğunu düşünmemizi istediniz; oysa tam tersiydi. Bizi yarı sağlıklı tuttunuz, kemiklerimiz hep ağrıdı, ağızlarımızda dişlerimiz çürüdü. Hamile kaldığımda başparmak boyunda ve şeklinde vitaminler yutturdun bana. "Kızkardeşlerin için ölümcül haplar bunlar," diyordu annemiz, tehditkâr bir tavırla. Arkasını döndüğü zaman pakette yazanları okudum, tam tersini söylüyordu.

Bedenim değişmeye başlamadan bir yıl önce, "Siz kızlar yeni ve parlak kadınlarsınız," dedin bana. Akşamdı bu kez. Kızkardeşlerim ve ben sonunda hasarlı kadınların yokluğuna, evin yeni ritmine alışmıştık. Uykulu bir ateşkes hali. Sen ve ben dizlerimizde battaniyelerle terasta oturuyorduk. Her şey affedilmişti.

Sevgi, çevremde yükselen suydu. Kocaman, hasar

veren ellerinle yıldızları işaret ediyor, her birinin ne an-
lama geldiğini anlatıyordun. Çoğu "Dikkat" veya "Uslu
ol" anlamına geliyordu. Veya benzer anlamlara.
"Senin gibi biri gelmedi dünyaya," diye devam ettin
azametli bir tavırla.
"Ben bunu bilemem ki?" dedim.

Bana neler olduğunu açıkladığın gece –yüzün her
zamanki gibi ifadesizdi ama hafif bir enerji, bir tür heye-
can yayıyordun– hava öyle güzel ve canlandırıcıydı ki.
Orman bizi saklıyordu. Denizin sesi tatlı bir çanın sesini
andırıyordu. Anakaradan getirdiğin çubuğu kullanmış,
ellerimi modern nesneden korumak için kalın lateks el-
divenler giymiştim. Kendi banyomda, karanlıktaydım,
herkes lobide kendi dünyasına dalmıştı. Çubuktaki pen-
cerede iki tane mavi çizgi belirdi.
Uzun süre ağladıktan sonra kendime geldim ve Lia'
nın odasına gidip yatağına dönmesini bekledim. O sırada
yalnız kalmak istemedim. Tuhaf gözleri ay ışığında par-
layan, ne olanları, ne olacakları bilen Lia.

"Bunların hepsi sana miras kalacak," demiştin başka
bir gün terasta. "Sen buraya aitsin."
Uyuyan evden sessizce geçtik, mutfağa indik, gece
geç saatlerde yediğin kan sucuğundan, bize yasak olan
erkek yiyeceğinden kalın bir dilim kestin bana. Lokmayı
çiğnedim ama ağzımda kıkırdağa dönüştü. Yutamazdım.
Lavaboya tükürdüm. Ensemi ovaladın. Ellerimi tuttun.
"Gördün mü bak?" dedin, nazikçe.

Aramızdakileri öğrendiği zaman annemiz ve ben bir
süre hiç olmadığımız kadar yakınlaştık. Öncelikle onun
kızıydım; denkleme bir de kız torun eklenmişti şimdi.
Ağır ilerliyordu, karnım henüz pek belli olmuyordu. Bir-

likte bol bol zaman geçirdik. Her zaman açıkça kötücül değildi.

Karşılıklı yemek masasına oturup dikiş dikerdik. Arada bir sert sözlerle düello yaptığımız olurdu, onun dili daha sivriydi. Atışmak istemiyordu canım. Kalbim başka yerdeydi. Arada bir yüzünü buruşturup ağlardı ama ben bir kez bile ağlamadım.

Bana çocukluğunu anlattı; çocukluk hikâyelerini rica niyetine, yalvarmak yerine anlattığını anladım. Duymak istemediğim hikâyeler, annesiyle birlikte yedikleri sıcak ekmekler, diğer çocukların arasına karışmak gibi. Erkekler ve kızlar. Birbirlerini itip yere deviriyorlardı. Başka zamanlardı onlar. Bedenimdeki değişimden cesaret alıp gerçek babamla ilgili bir anısını anlatmasını istedim ama bunu yapmayı reddetti. Benden gizleyebileceği her şeyi gizledi.

Bana hayat arkadaşı bir kadın olmasını istemiyordum. Bazen düşmanımdı bazen yalnızca annemdi, başka bir açıdan düşmanımdı.

Annemiz senin hayatta olduğunu utanç gibi, bir yara gibi hissetmiş olmalı. Sana mektuplar yazdı – bunları sana göndermesine imkân yoktu oysa. Yokluğunun ilk günü buldum onları. Tek başıma doğruca odasına gidip her yeri araştırdım. Alabileceğim, kullanabileceğim, ellerimin arasına alıp anlamını tahmin etmeye çalışabileceğim her şeyi buldum. Tabanca. Parlak turuncu bir ruj, onun rengi değil. Dudaklarıma sürünce o rujun kimseye yakışmayacağını anladım gerçi.

Mektupların ayrıntılı bir metafor olduğunu sandım. Öyle üzgündü ki artık senin bir et yığınından ibaret olduğunu anlayamıyordu. Öyle sandım. Kalbim yumuşadı. Demek ki içinde romantik bir yan gizlemişti.

Mektupların hepsi, "Kızları almaya çalışma," diye bitiyordu, veya benzer şekilde yalvaran cümlelerle. Bizi ölümden korumak için yakardığını, o sözcükleri denize dua etmek için yazdığını sandım. Sana iletilecek bir mesajdı, artık nereye musallat olduysan, çevrene toplanan diğer hayaletlerle birlikte.

"Gitmene neden olduğum için üzgünüm," diyordu başka bir mektupta ama o zaman pek anlamlı gelmemişti bu cümle bana. Hayatta kalanın suçluluk çektiğini biliyordum.

Sana ilk vuruşumda güldün. Tırnaklarım yanağının derisini çizdi. Kan akmadı.

"Annen gibisin," dedin bana. "Yırtıcısın."

Haklıydın, yırtıcıydı. Tırnaklarını uzatır, törpüyle sivriltir, parlak renklere boyardı. Daha sadistik terapilerin mucidi oydu. Zalimliğin aslında iyilik olduğuna mı inanıyordu yoksa daha genç ve güzel olmanın ne anlama geldiğini hatırlattığımız için bizden gizliden gizliye nefret mi ediyordu emin değilim.

Bir süre seni zehirleyip cesedini bir şekilde ormana sürüklemiş olabileceğini düşündüm. Gözyaşları sahteydi, boş bir jestten ibaretti. Diğerleri ona inandı ama ben gerçeği biliyordum.

Bütün bunlar olurken bizi sevdiğini o kadar sık tekrarladı ki bu da bir tür kendine özgü şiddete dönüştü, geri çevrilmesi olanaksız bir şey haline geldi.

Dünyanın sınırları her gün bize doğru yaklaşıyordu. Bize yapılan, ona yapılan her şeye rağmen her gün annemizin yüzüne bakıp sağlığı için, kalbi için dua etmemiz gerekiyordu.

Bir şekilde aşağı iniyorum. Müziğe doğru ilerliyorum, balo salonuna giriyorum, piyanoyu beceriksizce tıngırdatıyor birisi. Lia. Piyanonun başından bir an bana bakıyor, sonra ayağa kalkıyor. Adını söylüyorum, bir kez, iki kez.

"Sana ne yaptılar?" diye soruyor. Titriyor. Bakışlarımı kendime, elbisemi ve kollarımı kaplayan kan lekelerine çeviriyorum, konuşamıyorum.

Sky'ı mutfakta buluyoruz, dolapları karıştırıp yiyecek bir şeyler arıyor. Lia ve ben gidip ona dokunuyoruz. Birlikte tek bir beden gibi Lia'nın odasına çıkıyoruz. Durumun aciliyetini uzuvlarımızda hissediyoruz. Atan nabzımızda. Ellerim ve ayaklarım buz gibi. James' ten bir hastalık bulaşmış olabilir. Kim bilir nasıl hastalıklar taşıyor erkekler. Lia'nın kemiklerinin içinde ışıldayan kim bilir nedir? Elbisemdeki kan koyulaşmaya başladı bile. Karanlık koridorda kızkardeşlerim haberleri sorgusuz sualsiz kabulleniyor, *neden* bile demiyorlar.

Kızkardeşlerim gibi boy atmamamın, annemiz gibi kısa olmamın nedeni dış dünyaya maruz kalmamdı sana göre. Küçükken bazen astım nöbetleri geçirmemin nedeni de buydu. Göğsüm sıkışırdı, işlevini yitirmiş bir lanet hissi kaplardı içimi. Büyüdükçe geçti bunlar. Terapilerin işe yaradığı için çok memnundun.

Kızkardeşlerimin hareketlerini izliyorum. Önümde yürüyorlar, yeni haberleri sindirirken, bunun bizim için ne anlama geldiğini düşünürken sendeliyorlar. Korku beni öksürtüyor. Hareketsiz kalırsak eklemlerimizde birikecek, biliyorum. Ciğerlerimizi dolduracak, donup kalacağız veya öleceğiz.

Lia'nın odasına ulaştığımız zaman sırayla banyoya gidip atabildikleri kadar zehir atmak için kusan kızkardeşlerimi seyrediyorum. Boğazlarına soktukları parmaklarını. İşleri bitince lavaboda ellerimi yıkıyorum, su kandan pembeleşiyor. Ağzımın kenarındaki kan lekesini ıslak mendille siliyorum.

Yatak odasına dönünce, "Llew ne yaptığımı öğrenecek," diyorum onlara. Kızkardeşlerim yatağımda oturuyorlar, tetikte ve solgun görünüyorlar. "Ne yapacağımıza karar vermemiz lazım."

Kendimizi korumak için onu öldürebiliriz.

Hemen çekip gidebilir, Llew James'in cesedini bulduğunda çoktan uzaklaşmış olmayı umabiliriz.

El ele tutuşup okyanusa kendimizi bırakabiliriz; her şeyin bittiğini, nihayet sonlandığını, zaten hiç başlamamış olduğunu kabul edebiliriz.

Llew'den af dileyebiliriz, bizi senden koruması için ona yalvarabiliriz.

Bize sadık kalması için onu ağır yaralayabiliriz.

Bizimle ilgisi yokmuş gibi yapabiliriz.

Onu affedebiliriz.

Seçenekleri listelerken Lia'nın elini tutuyorum. Uzun zamandır birkaç saniyeden daha uzun süre temas etmemiştim tenine. Elleri hatırladığımdan daha ince, daha soğuk.

"Bizi asla affetmez," diyorum en nazik sesimle.

Sessizlik oluyor. Lia parmaklarını ağzına göürüp tırnaklarını kemiriyor. Elini kucağına koyduğunda parmakları kanıyor. Şaşırmış gibi parmaklarına bakıp ellerini yıkamak için banyoya dönüyor.

"Onu öldürmek zorundayız," diyorum Sky'a, Lia odadan çıkınca. Üzerime bitkinlik çöküyor. Sky bana bakıyor ve başını eğiyor. Silahlarımı aramıza, yatağın üstüne koyuyorum. Birden ondan, olanları bu kadar kolay kabullenişinden korkuyorum. Bunun yaşadığımız hayat hakkında açığa vurduklarından da. Belki de artık bebeğimiz değil o bizim. Belki de başından beri planladığın gibi dünyayla başa çıkmaya hazır artık.

Lia yanımıza gelince ona sarılıyoruz.

"Hayır," diyor bize. "Olmaz, olmaz, olmaz." Bizi itmeye çalışıyor. "Yapamayız."

"Tek yolu bu," diyorum ona.

"Onu seviyorum," diyor, boşu boşuna.

"Sensiz yapamayız," diyorum.

Llew'le arasında bir şeyler olduğunu anladığım gün, pencereden Lia'yı ve erkekleri izledim. İkisinin arasındaki şezlonga yarı çıplak uzanmıştı, ayaklarının ucundaki su tehlikeli ışıltılar saçıyordu. Kızkardeşime ne yapabileceklerine aldırış etmeden toksik sözcükleri ağızlarından saçıyorlardı. O sırada, *Kızkardeşim, sende hiç akıl yok mu?* diye düşünmüştüm. Şemsiyenin altına otur, en azından. Kendini suya gömemez miydi? Biraz mesafeli olamaz mıydı? Onları seyrederken ellerim titriyordu. Tedbirsizliği affedilecek şey değildi.

Kızkardeşim söz konusu olunca sürekli izliyor ve bekliyordum. Kanımın yarısı. Bunu bilmeden önce bile, bazen hasarlı kadınları ailemden daha yakın buluyordum kendime. Ayaklarım onların toprağına basmıştı. Kurtulamayacak durumda olduğumdan korkuyordum. Kendimi kolaylıkla sınırın diğer tarafında bulabileceğimden çekiniyordum.

Ağaçların arasında yüz yüze duran veya bulabildikleri her yere uzanan Lia ile Llew'ü düşündüm ve kıskandım; ama kıskandığım şey Llew değil, görüldüğünü hissetmekti. Bilindiğini hissetmek. Gözlerimi kapadım ve bir an onun aracılığıyla yaşadım, suçluluğu andıran bir hisle zihinlerimiz arasındaki silinmiş bağlantıyı canlandırmaya çalıştım.

Elmacıkkemiğindeki başparmak. Kulağı okşayan avuç. Kuşlar, kuşların gergin şarkısı. Ağustosböcekleri, denizin arka plandaki gürültüsü, boğucu sıcak. Llew sessiz. Lia'nın hayatını riske atmasını sağlamak için onu baştan çıkarması gerektiğini biliyor. Işığın doğru yere dokunması gerektiğini. Kalbin istekli olması gerektiğini. Kalp bir hain.

Gerçi hepimiz farklı şekillerde hainiz. Llew bir ke-

resinde yanımda oturuyordu. Odada başka kimse kalma-
yınca elini dizime koydu. Elini hemen ittim ama yine
koydu. Hiç komik değildi. Elini yeniden kaldırdım ve
öyle sert tırmaladım ki şaşırdı. Kısılan gözleri başarısızlı-
ğa alışkın olmadığını anlamamı sağladı.

Ondan sonra Sky'a daha yakın durmaya başladım,
ilgimle onu şaşırttım. Bir keresinde Sky'ı baştan aşağı sü-
züp incelediğini gördüm. Bu kadarı bana yetti. Fakat
Sky'a onunla yalnız kalmamasını söylediğim zaman bu
fikir onu dehşete düşürdü. Korkmayan yalnızca Lia'ydı.
Daha doğrusu gereksinimlerinin yüreklendirdiği, çaresiz
kıldığı biriydi; şimdi nihayet bunun nasıl bir şey olduğu-
nu anlıyorum.

Neler olduğunu görebiliyorum. İzlemekten, çev-
remde dönüşen kızkardeşlerimi seyretmekten başka ya-
pacak ne vardı? Lia'nın peşinden ayrılmıyordu Llew, loş
akşam ışığında esneme egzersizlerimizi yaparken pence-
reden her hareketini izliyordu. Gelişiyle başladı tepki-
me. Kaçınılmaz, durdurulamazdı.

Sonra sıkıldı. Kızkardeşim ateşlendikçe can sıkıntısı
artıyor, havuz kenarında yatan bedeninin küstahlığından
okunuyordu. Kendini geri çekti. Ona bakmaz oldu. Lia
da düş kırıklığına uğrattı beni. Bütün kadınlar gibiydi.
Hevesli ve şefkatli. Göğsünde çözülmek için yalvaran bir
üzüntü düğümü.

İlgiyi yitirmek suç değildir. Belki davranışlarının ne ka-
dar merhametsiz olduğunu Llew'ün kendisi de fark etme-
mişti.

Kadınların öfkesi dışarıdan gelen bir güç gibiydi.
Göğüslerinin derinliklerinde biriken bir öfke. Onsuz hayat-
ta kalamazlardı. Ben her zaman sevinçle karşıladım onu.
Kudret anlarını. Midemdeki yanmayı.

*Öfkelen*, demek istiyordum Lia'ya. Suyun altında transa girmiş gibi dolaşıyordu evde. Bu hali çok yakından tanıyordum. Onu korumaya çalıştığımı göremiyordu. Llew'ün kusursuz biri olmadığını, gelgeç gönüllü ve fırsatçı olduğunu göremiyordu. Öyle tuhaftı ki, sıradan birinden çok daha fazlasına layıktı. Hiçbir şey bilmesem de Llew'ün sıradan biri olduğunu biliyordum. Lia'nın karşısında tir tir titremesi gerekirdi. *Minnet duyma! Öfkelen! Sert davran!* Bunu yapabileceğini biliyordum. Llew'ün aşağılamasını daha da kötüleştiriyordu bu. Kızkardeşimi böyle zayıf görmek çok acıydı; oysa pek çok açıdan en güçlümüzdü.

Avucumu dayanabildiğim kadar mum alevinin üstünde tutmamın emredildiği sevgi terapisini hâlâ hatırlıyorum. Ama eriyen balmumunun kokusundan çok korkmuştum. Korkmaya veya korktuğumu göstermeye alışkın değildim. Ben titreyerek ağlarken bir şey bulmuş gibi annemizle birbirinize baktığınızı hatırlıyorum.

Mumu benim yerime Lia aldı. O yıl benim en sevdiğimdi, ben de onun en sevdiğiydim. Demirlerimiz eşleşmişti. Karşılıklı sevgi. İki kat şans. Bir an tereddüt ettikten sonra diğer elini mum alevinin üstüne uzattı. Derisini yalayan alevi seyrettik. *Bin bir. Bin iki. Bin üç.*

Sonraki bir ay boyunca avucunda kapkara, siyah bir delik kaldı. İçinden sarı sular akan yarayı annemiz günde iki kez antiseptikle yıkıyordu. Lia bir kez bile ağlamadı.

Kız kardeşime çok şey borçluyum.

Lia'yla ben merdivenlerden inip Llew'ü bulmaya gidiyoruz. Sky'a odada kalması için ısrar ediyoruz. Silah elimde çok ağır. Llew'ü göremiyoruz, bulamıyoruz. Havadaki değişimi hissetmiş, kaçıp saklanmış olabilir. Yanımda yürüyen Lia titriyor. Bunu onun için kolaylaştırmanın yolu yok.

Yemek salonunda tabancayı masalardan birine koyup ellerimi esnetiyorum. Kapıya gidip havuzda veya sahilde mi diye bakıyoruz. Mutfak, resepsiyon, yemek salonu, balo salonu derken bu evde çok fazla kapı var, Sky yanımızda olsa bile hepsinin başını tutamayız. *Düşün*, diyorum kendi kendime. *Düşün*.

"Belki havuzdadır," diyor Lia.

"Hayır," diyor arkamızdan gelen bir erkek sesi. Dönüp bakınca karşımızda elinde tabancayla Llew'ü buluyoruz elbette.

Belki yalnız kaldıklarında, görecek kimse yokken, numara yapmaya gerek olmadığında Llew de Lia'nın karşısında titremiştir. Başka insanların sevgisini yargılayamam. Ben de çok hata yaptım.

Onun odasında geçirdikleri uzun öğle sonrası saatleri. Kızkardeşimin kocaman ağzı, çirkin gülümsemesi. Llew'ün sonrasında etrafta nasıl dolaştığını da hatırlamaya çalışıyorum. Âşık olmaya başlayan biri gibi yürüyüp yürümediğini. Çünkü sen öyle yapıyordun. Adımların yavaşlıyordu. Bakışların ağırlaşıyordu, unutkanlaşıyordun. Başımızın dertte olduğunu, hayal bile edemeyeceğim kadar büyük dertte olduğunu o zaman anladım.

"Bunu neden taşıdığınızı anlatır mısınız?" diye soruyor Llew. Gülümsüyor. Gerçekten tam bir pislik.

"Ne olur ne olmaz diye," diyorum. Bakışlarına karşılık veriyorum. Yere, ayaklarının dibine tükürmek istiyorum.

"Peki," diyor. "James nerede? Onu bulamıyorum."

Cevap vermiyoruz.

"James nerede, kızlar?" diye soruyor yeniden, daha yüksek sesle. Artık gülümsemiyor; bıkıyorum ondan – erkeklerden, bizi küçültmelerinden bıktım usandım; şu anda sindiğim için kendime de kızıyorum.

Lia ve ben birbirimize yaklaşıyoruz. Bedenlerimiz birleşsin istiyorum, böylece onu alt edebiliriz. Bize doğru bir adım atıyor, sonra bir adım daha, tabancayı tutan elleri talimli, sakin. Onun bu sakinliğini görünce ilk defa neden birine çekici gelebileceğini anlıyorum; yaptıkları için Lia'yı çok da suçlayamam.

Erkeklerin evrensel nakaratı: *Benim suçum yok!* Ayrıca bkz: *Kendimi bu sorumluluktan azlediyorum.* Ve: *Ben öyle bir şey söylemedim. Bedenimin eylemlerini vaat kabul edemezsin.*

Bizi Sky kurtarıyor. Bizi kurtaran daima bir kadın olacak, bunu şimdi biliyoruz. Erkeklerin korunma yöntemleri hem uyduruk hem bencilce. Sözümüzü dinlemeyip peşimizden gelen Sky, Llew'ün ne yapacağını anlayınca vazoyu başının üstüne, iyice yükseğe kaldırıyor. Llew yere yığılana kadar Sky'ı görmüyoruz.

Her şey çok hızlı oluyor. Aniden. Yüz ifadesi değişiyor, vazo gürültüyle yere düşüp çatlıyor ama kırılmıyor. Ait olduğu yerde yattığını görmek güzel. Soluklanıyoruz, kendimizi topluyoruz. Az önce olmak üzere olanları düşünmüyoruz. Sky mutfaktan ip getiriyor, el ve ayak bileklerini birbirine sıkı sıkı bağlıyoruz. Evden çıkarıp sahile sürüklediğimiz sırada kendine gelmiyor. Giysilerine, saçlarına kumlar karışıyor. İçimizde yükselen bir şey var, memnunum. Bir an durup, içime dolan bu duygunun tadını çıkarmak istiyorum.

Kurallara göre şu anda bize öğretilen hayat koruma protokolünü uygulamamız gerek. İtaatkârlık, bir tür incelik. Şiddet yüklü zamanlarda durumun kadınlar için her zaman daha kötü olduğunu hatırlatan.

"Erkekler sizin için gelirse, kendinize biraz merhamet gösterin," demiştin. "Onların size eziyet etmesini, canınızı almasını beklemeyin."

Ama işte Llew burada, çaresizce kumların üstünde yatıyor. Ebeveynlerimiz yanılabileceklerini çoktan kanıtladılar. Bunca şey yaptıktan sonra kendi gırtlağımı bıçakla kesmeye isteksizim.

Başka bir hayatı koruma pratiği o zaman, bize ait bir ritüel. Onun bedenini, gücünü etkisizleştirmek için. Sahilin yeniden bizim olduğunu ilan etmek için. Birden her şeyi bütün netliğiyle görüyorum.

Gözlerini açıyor, bana bakıyor ama bakışlarına karşılık versem de ona hitap etmiyorum.

Onun yerine bakışlarımı ayaklarımın dibinde yatan adamdan ayırmadan Lia'ya doğru dönüyorum. "Tuzu getir," diyorum.

Aşkın bana öğrettiği en şaşırtıcı şey, geçmişe dönebilsem her şeye rağmen bir şeyi değiştirmeyeceğimi bilmekti. Sana *hayır* demezdim. Işıklı sabahları, pencereden içeri dolan ozon ve yağmur kokusunu geri çevirmezdim. Bebeğimle baş başa geçirdiğim günlerden vazgeçmezdim. İç organlarımı tekmelerdi. Bebeğin *Hayatta kal* çağrısı bildiğim bütün benzer çağrılardan daha kuvvetliydi.

Sevilmemeye alışkın biri aniden sevilirse midesi bulanabilir. Başkalarına saldırıp kendini küçük düşürmesine neden olabilir. Kendinizi yavaş yavaş alıştırmanız, acele etmemeniz gerekir. Lia'nın öyle yaptığını hiç sanmıyorum.

Biz beklerken kumlarda kıvranan Llew'e bakıyorum. Umarım düşüncelerimi okuyabiliyordur. Düşüncelerim şöyle diyor: *Llew, senin gibi birini tanımıştım. Bizi hiçe saydığını biliyorum. Geldiğin dünyada şimdiye çoktan ölmüş olurduk, farkındayım. Kadınları öldürmek iste-*

*yen bir erkek olduğunu biliyorum çünkü her erkek böyledir,*
*hatta bizi sevdiklerini iddia edenler bile. Ama bedenin seni*
*kurtaramayacak şimdi. Artık kendi topraklarında değilsin.*
*Burası bize ait. Hep öyle kalacak.*

Biz kızkardeşler de kendimizce acımasızdık hep, ama bizim acımasızlığımız kabul edilebilir bir şey, bence. Bizi hayatta tuttu, bir şeyleri yoluna koymamızı sağladı. Ahlaki açıdan bir hata payı olarak görmek daha doğru onu.

Üzerine avuç avuç tuz serpiyoruz, hemen hiç tepki vermiyor, gözlerini kırpıştırarak bize bakıyor yalnızca. Şaşırdığı için sakinleşiyor. Sonra yaklaşıp onu tekmelemeye başlıyoruz. Sonunda canını yakmak, sağlam ve amansız bedenine zarar vermek iyi geliyor. Bir süre sonra silahı kızkardeşime veriyorum.

"Senin yapman gerekiyor, Lia," diyorum.

Tabancayı alıp kaygıyla bakıyor ona. Llew de soluk soluğa onu seyrediyor.

"Yeniden bizden biri olacaksın," diyorum ona. Bel altı vurduğumu biliyorum ama gerçek bu.

Ondan talep edeceğim son sevgi eylemi. Bunu yapamazsa bizi sonsuza dek yitirmiş demektir.

Llew'ün son suçu affedilemez bir şeydi, acaba bunu içten içe kendisi de hissetmiş midir? Öldürmenin onu değiştireceğini varsaymakla cömert davranıyorum aslında. Sonradan gözlerini açıp bizi sanki ilk defa gördüğünü hayal ediyorum.

Onu uzaklaştıran suçluluk duygusuydu belki de. Sabah erkenden dalga dalga gelip onu uyandıran, yaptığı şeyi hatırlamasına neden olan.

Evimizin onun için fazla gerçeğe dönüştüğünü tahmin ediyorum. Artık hayata verdiği bir moladan ibaret değil evimiz onun için. Havuzdan, sahilden, tuzdan, akşamüstleri odalarda güneş yanığı teniyle onun hayatını kolaylaştıran kızkardeşimden ibaret değil. Yalnızca eski bir ev. Bir cennet falan değil. Su lekeli tavanlar. Örümcek ağı kaplanmış raflar, köşeler. Bir zamanlar dört kişinin yaşadığı evin içinde kaybolmuş gibi dolaşan üç kadın.

Lia titriyor. Llew kocaman açılmış gözlerle ona bakıyor, gözleri öyle büyük ki Lia yakından bakarsa onların içinde başka bir şey görebilecek sanki. İnsan sonunu getirebilecek şeylerden uzak durmakta zorlanır, bilirim.

Şimdi hatırlıyorum. Erkekleri ilk görüşümüzü. Kumların üzerinde dünyayı önümüzde açan üç erkek. Derileri kirlenmiş, tuhaflık üstüne tuhaflık. Gözlerini kısıp ışığa, bize bakışları. Başka türlü olabilir miydi? *Hayır*, diye düşünüyorum, kumun üstündeki iki kişiyi izlerken. Llew'ün onun dokunuşundan nasıl irkildiğini görünce. Tek yolu var. Ya biz ya onlar.

Orada, sahilde annemizin yokluğunu içimizde hissediyoruz. Onun kaybının şiddeti patolojik bir hal alıyor ansızın. Elden çıkarılabilirliğimizi görünür kılıyor. Llew'ün onun boğazına yapışan elleri senin de ellerin. Bütün erkeklerin elleri.

Düşen kadın ölen ilk kişi değildi. Kızkardeşlerim başını leğenden kaldırmayan kadını hatırlıyorlar mıdır bilmiyorum. Annemizin elleri çok geç olana kadar ensesinden kalkmadı, kadının seğirmeyi andıran hareketleri tamamen kesildi, hasarlı kadınlar birer birer sandalyelerinden kalktılar. Annemizin suçu olmadığını söyledin herkese, odanın kontrolünü yeniden ele geçirdiğin zaman. Kadın kürümüze hazır değildi henüz. Bedeni elverişsiz olduğunu kanıtlamıştı. Kendi suçuydu.

Bize su kürüne ihtiyacımız olmadığı söylenmişti. Bedenlerimizin ihtiyacı yoktu ona. Çok sonradan fark ettim ki, bu aynı zamanda buradan asla ayrılamayacağımız anlamına geliyordu.

Tedavi günlerinden çok daha önce, kitaplarımızın peşine düştün. Lia ve ben okumayı o kitaplardan öğrenmiştik; anlaşılır aşk maceraları, komediler, cilti ve daha kalın kitaplar. Lia çok hızlı okuyor, okumaktan fazla keyif alıyordu. Kızkardeşimin beyninin devreleri çok işlekti. Hızla kurduğu cümleleri duyunca şaşırıyordun. Geriye sadece bir rafa dizilmiş yemek tarifi kitaplarını bıraktın. Senin yüzünden Sky okumayı doğru dürüst öğrenemedi. Bu arada Lia ve ben unutmamak için birbirimize *bouillabaise, sous-vide* ve *truss* tariflerini ezberlettik. Kırmızı et yokluğunda sözcükleri yutuyorduk. Bol bol fıstık ezmesi, kavanozda süt karameli yiyorduk. Enerji veren, masum besinler.

Sonra sıra saçlarımıza geldi. Annemiz saçlarımızı omuz hizasında tutuyor, mevsimler değişirken bizi balo salonunda sıraya sokup uçlarını kesiyordu. En gürü benim saçlarımdı. Üstü düz, altı dalgalıydı. Hasarlı kadınlar çöplerimizi karıştırıp saç tellerini çalıyorlardı. Bunu korunmak için yapıyorlardı ama durumu kontrol altına alman gerekiyordu. Saçlarımızı kesemez, başkalarına veremezdik. Bir süre sonra bellerimize kadar uzadı saçlarımız. Sabah uyandığımda boynuma dolanan saçları beni öldürmeye çalışan bir el veya yılan zannederdim.

Sonunda yanıp sönen kırmızı ışıklar gibi bedenlerimizin içinde titreyen kalplerimizi istedin. Seni korkutuyorlardı. Dışarı dönük sinyaller olduklarını biliyordun. Ölümümüz olacaklarını biliyordun.

Saatlerce yüzüstü yatar, duygularımın altımdaki zemini tutuşturmasını beklerdim. Daha zorlayıcı terapilere ihtiyacımız olduğunu düşünüyordun. Sevgimizi ölçmenin daha katı yollarını bulacaktın.

Bu yüzden sevgimizi sınırlı eylemlere böldük. Yanaktan öpücük bu kadar ediyordu. Birinin sırtına elimi koyamıyor, gözlerinin içine bakamıyor, gülümseyemiyordum. Sevgi göstermeye halim yoktu. Cimriydim. Geri dönebilsem bütün sevgimi verirdim. Tenini morartana kadar dokunurdum kızkardeşime.

Gwil'in ölümünden az önce annemizin odasına gidince birinin demirleri indirdiğini gördüm. İçim ferahladı. Sonunda, sonunda beni sana bağlayan bir şey kalmamıştı. Kanım bile; zaten ona bakmak, onu onaylamak zorunda değildim. Bedenimde kirli işlerini yapsın diye kendi haline bırakabilirdim onu.

"Beni neden sevmiyorsun, açıklayabilir misin?" diye soruyor Lia ona, alçak sesle.

"Seviyorum," diyor, gözleri yaşarıyor. "Seviyorum."

"Hayır sevmiyorsun," diyor Lia. "Ama neden sevmediğini öğrenmek istiyorum."

"Lütfen," diyor adam.

Lia duraksıyor. "Canımızı gerçekten yaktın," diyor.

Kalbimin küçük ve büyük ölümlerinden bıktım usandım.

İstemesem de seninle ilgili anılar üşüşüyor zihnime: minik şefkat gösterileri. Avucuna iki elimi birden sığdırman. Yağdırdığın anlamsız hediyeler. Bir saç bandı. Avuca sığan, porselen bir kuğu. Ağzımın içini kaplayan beyaz çikolata. Kutsal emanetler.

İlk seferi, kütüphanenin karanlığındaydı. İçeri kimse gelmezdi. Üretkenlik dönemlerinde tek başına uyuduğun karyola köşedeydi. Beyaz şarap içip sarhoş olmuşum, gergindim. Sen de öyle. Uzun zamandır yaklaşıyordu bu an. Bakışlar ve sözcükler, köşede, kapı ağzında beni seyredişin. *Bundan ancak fenalık gelir,* diye düşünmüştüm sonradan, banyomdaki aynadan yüzümü incelerken. Haz tehlikeli gelmişti. Karnımda, göğüskafesimde parlak ve neşeli dalgacıklar. Ellerim öyle çok titriyordu ki annemizin öğrettiği gibi yüz fırça darbesiyle saçlarıma bakım yapamamıştım. Yere çökmek zorunda kalmıştım. Sonra soğuk zemine uzanmıştım, aşk yerçekimi gibi bir güçtü sanki. Beni kendine çeken, yere yakın olmak istememe neden. *Kendime feci bir zarar vereceğim.*

Geçen gün Lia'nın çekmecesinde kanlı bir gecelik buldum. Topraktan kazılıp çıkarılmış kötücül bir şeye benziyordu, kötü kokuyordu. Başta geceliği neden oraya sakladığını anlamadım. Ama sonra son zamanlarda ne kadar solgun göründüğünü, gözlerinin etrafındaki halkaları hatırladım ve derin bir üzüntüyle *Olamaz, sen de mi?* diye iç geçirdim ama şaşılacak bir şey yoktu, olacağını biliyordum.

Belki de erkekler onun çekimine kapılıp uzaklardan geliyorlardı. Belki bedeni evimizin üstünde yükselen bir işaret ışığı gibi erkekleri sahile davet ediyordu ve adamlar başlarını havaya dikip neşeyle gökyüzüne uluyor, yüzlerimizi bile görmeden ellerinin altında nasıl çaresiz kalacağımızı düşünüp seviniyorlardı.

Lia yüzünü Llew'ün yüzüne yaklaştırıyor ama dua mı ediyor yoksa onunla konuşuyor mu emin olamıyorum. Artık ona, onlara bakamıyorum. Yüzüm ıslanıyor birden.

Gidip eğreltiotu kokan, sakin sulara yakın bir yer

bulmalı, orada uzun süre yatmalıyız bence. O yeri görüyorum, uzakta, çok uzakta.

Şans eseri burada olanları öğrenecek olursan ağzında berbat bir tat kalır umarım. Kızkardeşlerim senden, yine de. Başından beri bizi dönüştürdüğün şeyleriz ve dolayısıyla bundan ne kadar nefret etsek de hayatta kalma güdümüz seni sessizce onaylıyor. Ama hayatlarımız bize ait.

Sky'ın elini tutuyorum, dönüp eve doğru yürümeye başlıyoruz, sahile gelince duruyoruz. Islak kuma oturup ayaklarımıza doğru atılan dalgaları seyrediyoruz. Ufukta, bulutların arkasında güneş doğuyor.

Silah sesini bekliyoruz. Çok geçmeden duyuyoruz. Sonra bir tane daha. Isı sesi güçlendiriyor. Tabanca yeniden patlıyor. Kalplerimiz. Sky elleriyle kulaklarını kapatıyor. Ben hepsini dinliyorum.

Niyetini öğrenmek isterdim yine de. Lia'nın Llew'le kaldığı gibi baş başa kalmak isterdim seninle, başımı çevirmeden önce Lia'nın kulağına bir şeyler söylediğini duydum, son sözleriydi bunlar. Kadınlar hep böyle yapar zaten, her sözcüğü ve duyguyu anlamını yitirene kadar birer birer elden geçirmek isterler. Fazla uğraşırlar. Emin olmak için.

Ama bizi takip etme. Bizi arama. Orman altı bitkilerinin altını ve sığlıkları araştırma, ayağının ritmiyle yuvalarından çıkan kuşları ve yılanları gönderme. Kulağını yere yaslama. Haber yollama.

Ev yıkılacak. Saç fırçalarımızdaki teller toza dönüşecek, giysilerimiz küflenecek. Bizden geriye kalan tek kanıt çektiğin fotoğraflar olacak, bir de notlarında icat edilip yaratılan, var olması imkânsız kadınlar olarak geçtiğimiz yerler. Bunlar da kalıcı olmayacak.

Eskiden geride iz bırakmayacak olmak canımı sıkardı ama şimdi bundan öyle memnunum ki. Bomboş sabahlarda senin yokluğunla uyanacağım ve *Memnunum, memnunum, memnunum,* diye düşüneceğim, bir çıngırak gibi çalacak bu düşünce kafamın içinde.

Lia gelip yanımıza oturuyor. Onun da üzerine birazcık kan sıçramış.

"Ona bakmayın sakın," diyor, bakmıyoruz biz de. Daha fazla hasar görmemek için önlem alıyoruz. Biraz geç kaldık ama olsun. Bakışlarımı gökyüzünden alamıyorum. Kuşlar şakımıyor. Hava nihayet kusursuz. Tırnaklarımın altında kan var. Temizlemem gerekecek.

# Grace, Lia, Sky

Bir zamanlar bizi koruyabileceğini sanan bir baba vardı. Fakat bu baba dünyanın bütün taleplerinden azade değildi. Tehlikenin içimizde olduğunu kabullenmek zor ve can yakıcı olacaktı, bunu anlıyorduk. Güvenli yerimiz en başından beri kirliydi.

Vücutlarımızdaki kanı Grace'in banyosunda iyice yıkadıktan sonra –üçümüz birlikte küvete giriyoruz, titreyerek saçlarımıza ve gövdemize su tutuyoruz– Lia'nın giysilerini giyiyoruz. Üstümüze oluyorlar. Yansıtsın diye beyaz tercih ediyoruz. Kral'ın takımını parçalayıp sınırı geçmemizi sağlayacak tılsımlar yapmayı düşünüyoruz. Sonunda, bir erkeğe ait hiçbir eşyayı istemediğimize karar veriyoruz. Ama aklımıza başka bir fikir geliyor.

Tedavi leğenini veya balo salonunu kullanmıyoruz. Grace'in banyosuna dönüp küveti ağzına kadar dolduruyor, ellerimize doldurduğumuz tuzu dairesel hareketlerle ağır ağır suyun yüzeyine serpiyoruz. Tuz dibe çöküyor, dönüyor ve çözülüyor. Su kürünü ilk ve son kez birbirimize hatırladığımız kadarıyla uyguluyoruz. Bundan sonra olacaklara bildiğimiz tek yöntemle hazırlanıyoruz.

Önce Sky başlıyor. Kendi arzusuyla küvetin yanına diz çöküyor. Bu kürü daha önce hiç denemedi ama bu koşullar altında yapmamız gerekeni yapıyoruz. Birbirimize nazik davranıyoruz. Soluk soluğa sudan çıkmasına izin veriyoruz, onu fazla zorlamıyoruz.

Sırada Grace var. Kuş boynunu andıran boynunun arkasında iki el: Lia'nın sağ eli ve Sky'ın sol eli. Onu biraz daha uzun süre tutuyoruz suyun altında. Bize izin veriyor, kımıldamıyor. Doğrulup kalktığında biraz başı dönüyor. Bunu itiraf ediyor bize. Kendi aramızda konuşuyoruz, iyiye işaret olduğuna karar veriyoruz.

En son Lia. Onu herkesten daha uzun süre tutuyoruz suyun altında. Yüzme havuzunda yaptığı antrenmanlar işe yaramış. Tören bizi birbirimize bağlıyor, kanımız aynı ritimle akıyor. Lia'nın acısını hissetmeyi hiçbir zaman istemedik ama şimdi onu suyun altında tutarken, ağızlarımızı ve gözlerimizi yakan tuzda acısının anısını hissederken bencilliği bir kenara bırakıyoruz. Lia doğrulduğu zaman gülümsüyor. "Kötü değildi," diyor bize. "Sandığım kadar zor olmadı."

Odadan odaya dolaşıp "Bunların hepsine elveda," diyoruz yüksek sesle. Evimizde güvende değildik nihayetinde. Ama bize sevmeyi öğretti.

Sahilde durup denize bakıyoruz. Hayaletlere elveda. Bize doğru yüzen bir hayalet yok ortada. Evin yansıtması için seçilen ama sonuçta bizi koruyamayan beyaz boyasına elveda.

Bıraktığımız yerde yatan Llew'e bakmamaya çalışıyoruz. Bu sahillere gelecek olanlara mesajımız o. Mesaj şu: *Burası bir yer değil*. Mesaj şu: *Defol*. Umarız onu görürler ve kendilerini kurtarmanın bir yolunu bulan tehlikeli kadınları başkalarına anlatırlar.

Yeni ve parlak kadınlar. Sevgi baştan aşağı parlatıyor bizi. İzlerini bedenlerimizde taşıyoruz. Bunlardan vazgeçemeyiz. Ne kadar değişmiş olursak olalım vazgeçmek de istemeyiz. Varoluşumuzun merkezinde hâlâ sevgi ışıldıyor.

Deniz sınırına yakın bir yerde, görüş alanımızın kıyısında yaklaşan tekneler beliriyor. Tepemizdeki hava değişiyor. Gitme zamanı.

Bahçeye gidiyor, çiçeklerle ağırlaşmış çalıların yanından ilerliyor, dikenlerin ve kontrolsüz boy atan yeşilliğin üzerinden geçiyoruz. Ormana ulaştığımızda, bizi güneşten koruyan geniş yaprakların gölgesine sığındığımızda tepemizde tuhaf kuşlar uçuyor. Alçaktan uçuyorlar. Lia başını kaldırıp onlara bakıyor.

"Daha önce görmüştüm bunları," diyor. "Ama hiç bu kadar yakından görmemiştim."

*Yürümeye devam*, diyoruz birbirimize. *Yürümeye devam.*

Giysilerimizi, silahlarımızı, sevdiğimiz şeyleri geride bırakıyoruz. Su taşımak için mataralarımızı bile almıyoruz. Bütün eşyalarımızı bırakıyoruz ve buna çok seviniyoruz.

Güvenli yerler kalmamış olması mümkün. Becerimiz ve sevgimizle yeni bir güvenli alan yaratmamız da mümkün, belki başka kadınlar şimdiden başlamıştır bu işe. Onları bulacağız. Bizi tanıyacaklar, artık çocuk olmadığımızı görecek ve kollarını bize uzatacaklar. *Nerede kaldınız?* diyecekler.

Bitkin ayaklarımızla yürüyoruz, ilerliyoruz. Kuşların sesi yükseliyor, sanki daha da alçalıyor, daireler çiziyorlar. Ama ormanın derinlerindeyiz artık. Sınıra yakınız.

Yılanlara dikkat ediyoruz. Hayvanlara dikkat ediyoruz. Çevremizde uçuşan tatarcıkları ve sivrisinekleri fark etmiyoruz bile. Yukarıdan gelen seslere bir yenisi eklenyor, vınlayan ötüşüyle başka türde bir kuş ama hâlâ sesinden korkmuyoruz nedense.

Sınıra ulaşınca paslı tel örgüleri dallarla iyice eğip diğer tarafa geçiyoruz. Biraz zaman alıyor ama başarıyoruz bunu. Sınırın diğer yanında bir an durup yeni havayı içimize çekiyoruz. Bir yerden sesler geliyor ama çok uzaktan geldiği kesin. Dönüp eve doğru bakıyoruz ama onu çoktan göremez olduk. Görebildiğimiz tek şey orman. Serin yapraklar, dallar.

Her şey yolunda. İyiyiz biz. Devrilmiş bir ağacın gölgesine çıkıyoruz. Birbirimize sarılıyoruz. Nasıl oldu fark etmedik ama dokunmak yine kolay artık. Ellerimizi her yere götürüyoruz.

Yolumuz uzun, bu yüzden molayı kısa tutuyoruz. Dalları ellerimizle itiyoruz, her dalın arkasında atılacak başka bir adım var, kuşların ötüşü ve sesler biz evden uzaklaştıkça giderek yükseliyor sanki. Yapraklar bizi güneşten koruyor ve bu bile başlı başına bir mucize. Üçümüz birlikte, adım adım ilerliyoruz. Yeterince uzağa yürürsek kendi dünyamıza da ulaşacağız. Korkusuz ilerliyoruz.